SORCIÈRES SORCIÈRES

2. Le mystère des mangeurs d'histoires

Gourvernement du Québec - Programme de crédit d'impôt
pour l'édition de livres - Gestion Sodec

Nous reconnaissons l'aide financière du gouvernement du Canada
par l'entremise du Fonds du livre du Canada pour nos activités d'édition.

Éditeurs : Marc-André Audet, Dimitri Kennes
info@lesmalins.ca

www.lesmalins.ca

Dépôt légal – Bibliothèque et Archives nationales du Québec, 2016
Dépôt légal – Bibliothèque et Archives Canada, 2016

ISBN : 978-2-89657-341-7

Imprimé au Canada

Les éditions les Malins inc.
Montréal, QC

Un récit de Joris Chamblain
illustré par Lucile Thibaudier

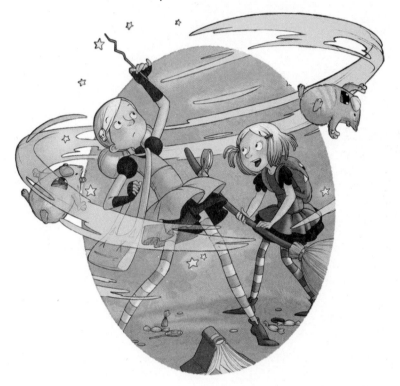

SORCIÈRES SORCIERES

2. Le mystère des mangeurs d'histoires

éditions
les malins

CHAPITRE 1

NOUVELLE
ENQUÊTE!

NIIIIIII…

La porte d'entrée en chêne émit un grincement sinistre en s'ouvrant tout doucement. Un de ces sons qui vous glacent le sang et qui vous donnent la chair de poule quand ils s'élèvent dans votre dos, comme si la porte elle-même avait eu très envie de vous faire peur et qu'elle souriait froidement en vous voyant frémir…

Elle arrêta sa course à mi-chemin, laissant pénétrer une brise fine et chaude dans les couloirs sombres de la grande maison. On eut dit le souffle humide d'un dragon qui serait sorti d'un long sommeil, l'odeur de soufre en moins peut-être.

Une ombre s'avança en glissant le long du chambranle de la porte, très vite rejointe par une autre. Les deux silhouettes élancées se penchèrent vers l'extérieur et balayèrent du regard les alentours avec méfiance, s'occupant chacune d'observer de son côté.

Après quelques secondes à scruter la pénombre, isolant les bruits naturels de leur esprit pour se concentrer sur les autres, l'une des deux silhouettes se risqua à prendre la parole…

— Rien par ici. Et de ton côté ? murmura la première.

— La voie est libre ! lui souffla la seconde en quittant sa rêverie. (Elle s'était noyée un instant dans ses souvenirs quand son regard était tombé sur la maison abandonnée d'en face.)

— Vous pouvez y aller, jeune maîtresse ! reprit cette dernière.

Une troisième ombre apparut alors de derrière une lourde armoire à l'intérieur de la maison, puis se précipita dehors d'un pas vif mais feutré.

— Merci, Norbert ! Merci, Hildegarde ! lança la jeune fille en passant devant les deux balais majordomes qui surveillaient l'entrée pour elle.

— Fais vite ! lui répondit Norbert.

La fillette descendit les quelques marches qui la menaient jusqu'au jardin et fonça en direction du portail d'entrée en courbant le dos pour être visible le moins possible.

Norbert et Hildegarde étaient deux balais enchantés, s'occupant la journée de l'entretien de cette maison, tandis que la jeune demoiselle n'était autre

qu'Harmonie, une petite sorcière de dix ans qui vivait là elle aussi.

Et depuis quelque temps maintenant, Harmonie était devenue très célèbre dans le village…

Durant l'automne précédent, le petit village de Pamprelune avait été secoué par une mystérieuse affaire : un facétieux jeteur de sorts avait fait trois petites victimes en les personnes de Mirabelle Grolette, Cassandre Parnassie et Rowena Quintefeuille, trois camarades de classe de la jeune Harmonie.

Mirabelle avait eu la tête transformée en citrouille, Cassandre s'était réveillée un matin suspendue au plafond avec le reste du mobilier de sa chambre, tandis que la plante grimpante de Rowena avait envahi sa maison en une seule nuit, détruisant un étage complet ainsi qu'une partie de la toiture.

Harmonie, principale suspecte dans cette sombre affaire car en perpétuelle rivalité avec les trois chipies, avait mené à bien cette première enquête afin de prouver son innocence.

À force de déductions, et malgré les embûches qu'elle avait pu rencontrer, elle était parvenue à dévoiler l'identité de ce mystérieux jeteur de sorts.

Elle avait découvert qu'il s'agissait en réalité de Miette, sa petite sœur âgée de cinq ans et demi et qui, pour cause de somnambulisme et d'une aptitude précoce à la magie en cas de colère, avait réussi à jeter des sortilèges durant son sommeil sur les fillettes en question. Elle s'était vengée de diverses humiliations que les trois pestes lui avaient fait subir.

Tout était finalement rentré dans l'ordre, mais l'événement était resté un long moment sur toutes les lèvres et Harmonie avait fini par bénéficier d'une modeste réputation de détective auprès des autres enfants du village.

Depuis lors, on faisait souvent appel à elle pour résoudre de petites énigmes du quotidien comme savoir si la maîtresse avait bien un nouvel amoureux, ou quelle était l'origine des bruits étranges dans les murs de la maison du Père Laplume, ou encore savoir qui avait bien pu jeter cet abominable poulpe moucheté dans les marmites de soupe de la cantine, lui donnant un arrière-goût de poubelle tout simplement atroce.

Harmonie avait pris tout cela comme un jeu et s'amusait désormais à venir en aide à ses amis. C'était une autre façon pour elle d'apprendre à mieux les connaître et donc les apprécier.

Dans son sillage, au fil des besoins de ses diverses enquêtes, elle avait gagné plusieurs complices

d'investigation. Notamment les deux balais major-domes Norbert et Hildegarde d'abord, qui lui devaient justement leur rencontre avec la résolution d'une autre énigme…

Hildegarde avait été une dame balai prise au piège d'un terrible balai tyrannique et avait vécu des jours sombres dans le lugubre manoir abandonné faisant face à la maison d'Harmonie et de Miette.

Norbert, tombé fou amoureux de la belle, s'était armé de courage pour la libérer, avec la complicité d'Harmonie. Hildegarde avait pu quitter sa prison et coulait désormais des jours heureux auprès de celui qu'elle aimait et de sa famille d'accueil, Tibor, Artémissia, Harmonie et Miette Pampre, tandis que tous les autres balais retenus de force avaient eux aussi pu regagner leur chaleureux foyer ou être enga-gés dans une nouvelle maison plus accueillante.

Depuis, chaque fois que ça leur était possible, Hildegarde et Norbert venaient prêter main forte à la petite sorcière dans l'une ou l'autre de ses enquêtes. Ils récoltaient différents témoignages auprès de leurs collègues, montaient la garde en différents points stra-tégiques, prenaient des gens suspects en filature…

Ce jeu leur plaisait beaucoup et une belle solida-rité était née dans leur groupe.

Un autre membre du personnel de maison avait également joué un rôle essentiel dans la résolution

du mystère du jeteur de sorts et était désormais complice de la petite détective…

Arthur, la citrouille boîte aux lettres, avait adoré présenter à tous les villageois réunis dans le cimetière l'image du coupable de l'affaire du mystérieux jeteur de sorts, durant une cérémonie joliment orchestrée par Harmonie. Suite à cette folle journée de révélations, il avait demandé à la petite sorcière de lui fournir un chapeau digne de ses nouvelles fonctions d'assistant détective, ce qu'elle avait accepté avec grand plaisir et un certain amusement.

Depuis lors, Arthur trônait fièrement sur son muret à l'entrée de la maison avec son chapeau vissé sur la tête, prêt à offrir à ses complices d'investigation tout son savoir-faire pour résoudre une nouvelle énigme. Norbert l'avait même surpris à s'exercer en cachette à lancer des regards tantôt ténébreux, tantôt pénétrants.

Il fallait bien qu'il ait du style !

Harmonie arriva donc auprès du portillon, soutenu par deux petites tours en pierre. Arthur, avec son chapeau vissé sur la tête, était justement perché au sommet de l'une des deux et observait la rue avec une expression de suspicion digne d'un grand acteur

de théâtre. Il était illuminé de l'intérieur par une bougie enflammée, signe qu'un message attendait d'être écouté. Il était avant toute chose une boîte aux lettres magique !

Harmonie se mit à la hauteur de son lumineux complice et jeta un regard furtif sur le côté pour être tout à fait sûre qu'aucune oreille indiscrète ne se soit glissée non loin. Mais il n'y avait personne…

Les derniers rayons du soleil jetaient sur le visage de la petite sorcière des éclats dorés et ses cheveux aux reflets bleutés ondulaient avec la bise légère.

Une torpeur générale régnait sur le village de Pamprelune. La saison chaude s'était installée dans la vallée depuis quelques semaines et les journées s'étaient grandement allongées. Les villageois, quelque peu accablés par la chaleur, préféraient regagner la fraîcheur de leur maison et attendre patiemment les vacances qui n'allaient plus tarder. Tous les enfants du village le savaient : dans une semaine, l'école serait terminée !

Leurs parents trépignaient également de voir arriver le début des vacances. C'était l'occasion pour eux de voyager vers la vallée des Vampires aveugles, ou bien encore de visiter les îles perdues de la Mandragore. Mais de tels voyages leur demandaient beaucoup de préparation. Raison de plus pour que les rues soient désertes.

— Bonsoir, Arthur. Un message pour moi ? interrogea Harmonie, sur le qui-vive.

— Oui. Une nouvelle mission, murmura-t-il en regardant sur le côté pour se donner un air grave.

Harmonie souleva le chapeau d'Arthur et le maintint à quelques centimètres au-dessus de lui. De l'autre main, elle souleva le petit couvercle taillé dans le haut de la citrouille, accédant ainsi à la bougie allumée. Elle la souffla d'un coup et une fumée blanche commença à s'élever.

Le chapeau maintenu en place fit comme un rempart aux volutes laiteuses qui tourbillonnaient et la fumée s'entassa dedans puis s'épaissit, avant de former un visage. Harmonie reconnut tout de suite Pluton, l'un des garçons de sa classe.

L'un des plus beaux, pensa-t-elle d'ailleurs, en voyant se dessiner ses traits dans le petit nuage de fumée blanche. Mais la fillette préféra garder cette remarque pour elle.

— Surtout avec ce chapeau sur la tête, ajouta-t-elle intérieurement. Cela ferait ressortir ses yeux…

— Bonjour, Harmonie, entama le visage dessiné dans la fumée, faisant sortir la petite sorcière de ses douces pensées. Bianca, ma pie, a disparu depuis hier matin. Je l'ai cherchée partout dans le village, mais je n'arrive pas à la retrouver. Ça m'inquiète beaucoup

car elle est encore très jeune. Tu voudrais bien m'aider? Mes parents et moi allons partir en vacances au milieu de l'été et je voulais l'amener avec nous. Je te donnerai… euh… ce que tu voudras! Mais aide-moi, je t'en prie!

— Il a une voix tellement douce quand il est triste, soupira intérieurement Harmonie. On dirait un bébé dragon tombé du nid. Il est vraiment trop mignon!

Une fois le message fini, Harmonie contempla le visage du jeune garçon une ultime fois, puis dans un soupir, elle souleva le chapeau, faisant ainsi se dissiper la fumée dans le vent.

Quel salaire oserait-elle lui demander? L'idée d'un doux baiser sur la joue lui traversa alors l'esprit, mais ses pommettes rosirent aussitôt et elle chassa de son esprit ces pensées.

— C'était donc ça, conclut-elle à haute voix pour reprendre son rôle de détective et ne rien laisser paraître devant ses complices. J'avais bien remarqué qu'il avait l'air triste ce matin en classe. Il a mis du temps à m'en parler mais il a osé partager sa faiblesse avec moi. Quelle preuve de courage!

Pour Arthur, le sourire tendre qui sillonnait le visage d'Harmonie ne faisait aucun doute sur ce qu'elle ressentait réellement pour son camarade de classe et ami. Toutefois, en bon professionnel,

il préféra relancer sa jeune patronne sur l'essentiel du message.

— Que comptes-tu faire, Harmonie ?

— Lui porter secours, répondit la jeune fille avec assurance. Après la fête de fin d'année, j'aurai tout mon temps pour enquêter ! J'espère juste qu'il n'arrivera rien au petit animal d'ici là. Je retourne dans mon cabinet pour ouvrir un nouveau dossier. Qu'on ne me dérange pas ! lança-t-elle aux deux balais majordomes en les recroisant sous le porche après avoir rebroussé chemin, l'air de réfléchir intensément.

— Bien, mademoiselle ! répondirent-ils d'une même voix.

Ils l'observèrent un instant s'éloigner, puis elle disparut dans le couloir sombre, derrière la porte d'entrée.

— Depuis cette fameuse affaire du jeteur de sorts, notre Harmonie est devenue une vraie petite détective ! s'amusa Norbert avec tendresse.

— Cela nous a plutôt réussi, murmura Hildegarde en s'approchant de lui et en caressant sa joue.

— Ma bien-aimée… Rentrons à la maison nous aussi. Nous devons ôter toutes les toiles d'araignées du grenier avant d'aller nous coucher.

— C'est si romantique ! conclut Hildegarde sans aucune ironie.

— À demain, Arthur! salua Norbert en se tournant une dernière fois vers la citrouille perchée près du portillon.

— Dormez bien, mes braves! s'exclama l'apprenti détective. Je veillerai sur vous de mon regard attentif!

Hildegarde ferma la porte derrière elle, tandis qu'Arthur recommençait à jeter des regards suspicieux aux ombres qui s'étendaient devant lui au milieu de la rue…

CHAPITRE 2

UN SECRET
DANS LE COFFRE

A nuit s'était installée pour de bon dans les rues de Pamprelune. Les derniers rayons de soleil venaient de se dissiper à l'horizon, mais leur étouffante chaleur baignerait encore le village durant quelques heures.

Assise devant son petit bureau contre le mur de la chambre, sous la fenêtre ouverte, le visage caressé par un filet d'air salvateur et éclairé par un globàjour, Harmonie prenait quelques notes sur un beau papier, en guise de préambule à cette nouvelle enquête. Elle y faisait état de son nouveau sujet d'investigation, de la personne l'ayant engagée, du délai imparti et de ses premières impressions.

Concentrée sur sa tâche, elle n'entendit pas la porte de sa chambre s'ouvrir. Une jolie petite sorcière lui ressemblant comme deux gouttes d'eau, si ce n'était ses cheveux mauves et son plus jeune âge, entra dans la pièce et s'approcha timidement d'elle.

— Nini ? Tu veux bien jouer avec moi, dis ?

— Pas tout de suite, Miette. J'ai du travail, lui répondit Harmonie sans même se retourner.

Plantée au beau milieu de la chambre de sa grande sœur, Miette baissa les yeux pour retenir ses larmes et se pinça la lèvre inférieure. Elle se sentait désespérément seule et aurait souhaité une autre réponse…

— Oh, d'accord, conclut-elle tristement en baissant la tête et en rebroussant chemin.

Cela faisait maintenant plusieurs semaines que Miette se sentait délaissée par sa grande sœur alors que, justement, c'était d'elle dont elle avait le plus besoin en ce moment.

La découverte de ses pouvoirs nocturnes avait été un véritable choc dans tout le village et même jusqu'à la Grande Académie des Sorciers. Tout le monde savait que les pouvoirs des jeunes sorciers ne se manifestaient que vers sept ou huit ans et, jusqu'à présent, personne n'avait entendu parler de la capacité à jeter des sorts sans en avoir conscience.

Mais Miette n'avait que cinq ans et demi, et à la surprise générale, elle était déjà capable de capter la magie de la terre et de la façonner à sa convenance pour jeter des sorts, bouleversant ainsi l'ordre établi et les convictions de chacun.

Maître Nicodémus Flamélio, Grand Sorcier fondateur de l'Académie, aurait voulu étudier la question, mais Tibor et Artémissia, les parents de Miette et d'Harmonie, avaient catégoriquement refusé que leur cadette devienne un cobaye de laboratoire. Ils avaient ordonné qu'on laisse leur fille tranquille, afin qu'elle ait une enfance tout à fait normale. Elle fut simplement déclarée très en avance pour son âge et le dossier fut clos.

Hélas pour Miette, sa magie ne se déclarait que durant la nuit, lorsqu'elle dormait à poings fermés et surtout après une légère colère. Aussi, elle n'avait pas conscience des sortilèges qu'elle pouvait jeter.

Si le mystère du jeteur de sorts avait fait grand bruit dans le village et avait offert à Harmonie un statut de détective en herbe, peu de gens avait pris soin de demander à Miette comment elle avait vécu cette découverte.

Au tout début, elle en avait retiré beaucoup de fierté, elle qui se trouvait l'égale des enfants plus âgés, elle qui avait vengé sa sœur à trois reprises et sans se faire voir, elle qui suscitait crainte et respect dans le regard des petites pestes Mirabelle, Cassandre et Rowena.

Mais les murmures dans son dos avaient commencé. Dans la rue, les gens la regardaient passer en la montrant discrètement du doigt. Son nom était sur

toutes les lèvres. À l'école, les autres enfants étaient gentils avec elle, mais leur gentillesse ressemblait plutôt à de la crainte. Ils avaient sans aucun doute peur des représailles s'ils venaient à lui faire du tort. Aucun enfant ne voulait se réveiller un matin avec une tête transformée en citrouille ou baignant dans une mare de bave de crapaud.

Alors tout le monde lui faisait des petits cadeaux, lui gardait un morceau de goûter, lui laissait la meilleure place à la cantine, ou la balançoire rouge dans la cour de récréation, l'éloignant de toute contrariété… Tout le monde était aux petits soins avec elle, et pourtant elle n'avait plus aucun ami.

Les seuls êtres qui pouvaient encore l'accepter telle qu'elle était réellement, étaient sa famille et Youki, son dragon domestique dodu. Mais ses parents étaient pris par leurs tâches diverses et Harmonie semblait l'ignorer, trop occupée par les nouvelles fonctions qu'elle avait choisies.

Avant qu'elle ne referme la porte, Miette fut retenue par la voix de sa grande sœur.

— Excuse-moi, Miette… c'est à cause de la pie de Pluton qui a disparu. J'étais concentrée là-dessus !

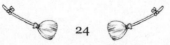

— Je pourrais t'aider à la retrouver ! proposa Miette avec un élan retrouvé, un grand sourire sillonnant son visage.

Harmonie se leva de sa chaise et rejoignit sa petite sœur à l'entrée de sa chambre. Elle l'invita à s'installer sur son lit et vint s'asseoir à ses côtés. Elle lui adressa un joli sourire en passant un bras sur ses épaules, mais Miette comprit à son regard désolé qu'Harmonie n'était pas très enthousiaste à cette idée.

— Mimi… tu es encore un peu petite pour être détective ! lui avoua-t-elle. Mais tu pourrais t'entraîner à l'école avec tes copains et tes copines !

— J'ai PAS de copains à l'école, lança Miette en quittant l'étreinte de sa grande sœur, en se mettant debout sur son lit et en croisant les bras, la mine boudeuse. C'est pas juste !

— Comment ça se fait ? l'interrogea Harmonie, un peu surprise par la dure réponse de Miette.

— Ils croient tous que je vais leur jeter un sort pendant la nuit ! éructa la petite sorcière en écartant les bras. Alors que j'avais même pas fait exprès, la dernière fois !

— Hum… je vois, répliqua Harmonie en se frottant le menton. Je suis vraiment navrée de l'apprendre…

Harmonie savait bien que, hélas! il s'agissait de la triste vérité. Dans son groupe d'amis aussi et à l'école, on l'interrogeait constamment sur sa petite sœur. Une fois, l'un des garçons de sa classe était venu lui demander si Miette avait déjà transformé sa maison en confiture de groseilles, ou si elle avait déjà changé ses parents en chauves-souris juste parce qu'elle ne voulait pas aller se coucher.

Il était reparti en ricanant, sans même attendre de réponse. Harmonie avait tourné les talons en essayant d'ignorer les moqueries, espérant que les enfants facétieux finiraient par se lasser. Heureusement, ce fut très rapidement le cas. Mais Miette, elle, en subissait apparemment toujours les effets.

Harmonie réalisa seulement à cet instant la grande solitude qui habitait sa petite sœur. Il allait être nécessaire qu'elles repassent un peu de temps ensemble.

— Si on allait plutôt dans ta chambre? proposa-t-elle à Miette. On pourrait préparer une nouvelle expédition? Cela fait longtemps que nous n'avons pas agrandi notre carte secrète géante!

— Oh, oui! s'écria Miette en sautillant, retrouvant la mine joyeuse qu'Harmonie aimait tant. Mimi et Nini, les super exploratrices!

C'était devenu leur jeu favori depuis le jour où les deux petites sorcières, en fouillant dans de vieilles malles au grenier, avaient découvert les notes de leur ancêtre Lucius Pampre, un fameux explorateur. Depuis lors, elles avaient entrepris de cartographier toute la forêt aux abords de Pamprelune afin d'en connaître chaque recoin. C'était devenu leur activité la plus secrète. Même leurs parents ignoraient tout de leurs périples sylvestres.

Miette bondit hors du lit et se précipita vers l'entrée de la chambre. Elle ouvrit la porte en grand, bientôt rejointe par Harmonie. Cette dernière faisait preuve d'un peu plus de retenue. Il fallait rester prudentes pour n'éveiller aucun soupçon de la part de leurs parents.

— Allons d'abord dire bonne nuit à papa et maman. Il commence à être tard et nous ne pourrons pas jouer très longtemps si nous voulons partir tôt en excursion, demain matin.

Les deux petites sorcières quittèrent la pièce et traversèrent le couloir en direction du salon, croisant au passage Hildegarde et Norbert qui achevaient justement leur ouvrage.

— Bonne nuit, jeunes demoiselles ! salua Norbert.

— Dormez bien, les amoureux ! répondit Harmonie avec un petit clin d'œil en regardant les deux balais retourner dans leur placard aménagé.

Artémissia et Tibor étaient confortablement installés dans le long sofa du salon. Une odeur d'épices et de jasmin embaumait la pièce, provenant d'une bouilloire dans laquelle une tisane infusait. Tibor dictait quelques notes à sa plumencre qui écrivait chaque mot, tandis qu'Artémissia était blottie contre son mari en train de lire un roman d'aventures. Leurs deux filles se précipitèrent sur eux en les couvrant de câlins et de baisers.

— Bonne nuit, mimoune ! souhaita Harmonie à sa mère.

— À demain, ma grande, lui répondit-elle en la serrant tendrement contre elle.

— Bonne nuit, mon papou ! lança Miette en lui déposant un tendre baiser sur la joue.

— Bonne nuit, mes chipies. Dormez bien.

La grosse voix de leur papa leur procurait toujours un frisson chaud dans le cœur. Tibor et Artémissia regardèrent leurs filles s'éloigner, un sourire empli de fierté et d'amour sillonnant leur visage. Ils émirent tous deux le même soupir de plénitude, les faisant sortir simultanément de leur rêverie. Ils échangèrent un regard complice en se souriant mutuellement et reprirent leur activité.

Les mots étaient superflus.

Au bas de l'escalier de la tour de Miette, Youki le terrible dragon tout rond et tout rouge attendait les deux petites sorcières de pied ferme. Il devait coûte que coûte les empêcher de grimper au sommet… sans qu'elles aient pris soin de lui faire un gros câlin pour la nuit! Elles se jetèrent sur le gros animal et le couvrirent de caresses, lequel se mit à ronronner et à gratter dans le vide avec sa patte arrière gauche.

— Bonne nuit, mon Youki! s'écrièrent-elles en chœur.

— Groumpf! leur répondit le gentil dragon avec satisfaction, avant de se lover dans son panier et de se laisser gagner par le sommeil.

Elles grimpèrent l'escalier puis arrivèrent à la chambre de Miette en haut de la tour. La pièce étant très exposée avec ses grandes baies vitrées, l'air y était étouffant. Harmonie se dirigea vers la fenêtre pour l'ouvrir en grand et créer un léger courant d'air, puis s'arrêta une seconde sur le balcon qui donnait sur le village. À cette hauteur, le silence qui pesait sur les maisons était presque palpable. Même ici, le vent était chaud.

Elle regagna la chambre, tandis que Miette finissait d'enfiler son pyjama. Cette dernière se dirigea ensuite vers son gros coffre à peluches et commença à les retirer par paquets. Le serpent à plumes, la girafe à deux cous, Boubou le hibou… tous virevoltaient les uns après les autres. Une fois la tâche effectuée, Miette put atteindre ce qu'elle cherchait vraiment : le grimoire secret d'exploratrices que sa sœur et elle remplissaient chaque semaine scrupuleusement, en y décrivant les nouveaux endroits explorés et en les illustrant par de beaux dessins en couleurs.

Elles s'installèrent par terre au milieu de la pièce et déroulèrent l'immense carte qu'elles avaient dessinée, composée de morceaux de parchemins assemblés les uns avec les autres. De leurs doigts, elles retracèrent le serpent d'eau représentant la rivière, elles glissèrent sur le rocher fendu du sentier des lucioles, traversèrent d'un regard la forêt de ronces suspendues

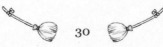

30

et bifurquèrent vers le bord gauche de la carte, là où s'étaient arrêtées leurs dernières investigations. Elles allaient devoir choisir un nouvel itinéraire.

— Demain, nous irons à l'ouest, proposa Harmonie. La dernière fois, j'ai aperçu une grotte que nous n'avons pas encore visitée.

— Oh, oui ! Tu crois qu'il y aura un trésor à l'intérieur ? demanda avidement Miette.

— Peut-être ! Par contre, c'est très loin et nous ne devrons rien dire à papa et maman, d'accord ?

Les deux petites sorcières s'étaient inventé un geste secret pour sceller un pacte. Un de ces rituels compliqués et étonnants dont seuls les enfants ont le don. Harmonie s'enfonça l'index de la main gauche dans la narine et agita l'auriculaire de la même main à l'attention de Miette, qui entreprit de faire le même geste. Maintenant très proches l'une de l'autre, elles croisèrent les auriculaires pour symboliser leur lien inébranlable.

— C'est notre secret ! lança Harmonie en parlant un peu du nez, avec une narine bouchée.

— Promis, juré, crotte de nez ! répondit Miette selon le rituel en vigueur.

Elles replièrent la carte, rangèrent le grimoire au fond du coffre et le dissimulèrent à nouveau sous une montagne de peluches. Miette se précipita sous ses

draps et avec de grands yeux suppliants, demanda une histoire à sa grande sœur.

— Laquelle veux-tu ? demanda Harmonie devant la petite bibliothèque.

— Celle avec les pirates ! ordonna Miette avec enthousiasme.

Miette adorait quand Harmonie lui racontait une histoire et surtout depuis le trimestre dernier, quand cette dernière avait appris un nouveau sort très particulier à l'école : l'incroyable formule d'Ilététunefoi !

Ce puissant sortilège avait une propriété étonnante : quand on contait une histoire après avoir prononcé cette formule, elle apparaissait pour de vrai, déguisant tout le décor autour du conteur ou de la conteuse, plongeant les auditeurs dans l'histoire, comme s'ils en étaient les véritables héros. Mieux encore, Miette avait découvert que l'on pouvait modifier ce décor à tout moment, au gré de l'imagination de chacun, pour en faire à chaque fois des récits uniques. Elle demandait sans cesse à Harmonie de changer de petits détails, personnalisant ainsi à sa guise les incroyables aventures qu'elle voulait vivre.

Harmonie prit une chaise, s'installa auprès de Miette et entama la lecture de l'épais grimoire qu'elle venait d'attraper. Elle l'entraîna sur les flots déchaînés auprès d'un terrible capitaine qui hantait les sept mers, franchit avec elle les caps les plus exotiques,

brava les océans les plus profonds, affronta les monstres marins les plus dangereux et colorés jusqu'à ce qu'enfin, Miette ferme les yeux et sombre dans le sommeil…

Harmonie referma délicatement le grimoire, le rangea à sa place dans la petite bibliothèque et se pencha au-dessus de sa petite sœur endormie pour lui déposer un tendre baiser sur le front. Elle ferma la porte de la chambre, descendit l'escalier, adressa un dernier salut à ses parents et se coucha elle aussi.

Plongée dans le noir et en murmurant le sort d'Ilé-tétunefoi, elle fit apparaître au-dessus de son lit une splendide voûte étoilée. Les petits points scintillants dansaient en ronde, se rapprochant ou s'éloignant au gré de l'imagination de la fillette, formant mille et une constellations en perpétuel changement. Puis elle se laissa à son tour gagner par le sommeil et la voûte étoilée disparut peu à peu.

La journée du lendemain allait être chargée, Harmonie avait besoin de repos.

CHAPITRE 3

LE SORT
D'ILÉTÉTUNEFOI

IETTE et Harmonie s'étaient levées aux premières lueurs de l'aube, comme à leur habitude. Après avoir avalé un copieux petit-déjeuner, elles avaient préparé leurs affaires et les avaient empaquetées dans deux sacoches en cuir. Mais plutôt que de les porter sur leur dos, elles avaient décidé de faire appel à Youki, leur petit dragon préféré, afin qu'il les assiste dans leur mission d'exploration. L'animal se faisait une joie de transporter les sacoches pour ses deux maîtresses adorées.

Les deux petites sorcières et leur gros dragon rouge volaient désormais en pleine forêt en direction de l'ouest, espérant atteindre avant midi la grotte qu'elles comptaient explorer.

— Quand est-ce qu'on arrive? interrogea Miette plus pour la forme que pour marquer un réel ennui, les cheveux soulevés par le vent.

— Bientôt, lui répondit sa grande sœur assise devant elle, en dirigeant son balai.

— On n'est jamais allées aussi loin, pas vrai?

— En effet ! C'est pour ça aussi que je ne voulais pas venir sans lui, répondit Harmonie en levant les yeux vers Youki qui planait gaiement au-dessus d'elles. Et puis, il est tellement fier de nous aider !

— Grou ! lança l'animal, comme s'il acquiesçait.

Le trio continua son périple un moment, survolant des sentiers marécageux, des ronces entremêlées, s'engouffrant sous la voûte des arbres, dérangeant des essaims d'insectes dans leur parade amoureuse, avant de déboucher sur une vaste clairière à demi ceinturée par un affleurement rocheux. Les petites sorcières atterrirent au pied de la falaise, bientôt rejointes par leur animal de compagnie.

— Nous y voilà ! s'enthousiasma Harmonie en jetant un coup d'œil vers un renfoncement dans la paroi. La grotte est cachée derrière ce rocher, ajouta-t-elle en pointant du doigt un bloc de pierre assez imposant.

— Ouaaaah ! s'exclama Miette sans être tout à fait sûre de regarder dans la bonne direction.

Harmonie ouvrit les sacoches accrochées au dos de Youki. Elle en sortit quelques petits gâteaux au miel bleu, celui avec un arrière-goût de cacahuètes, son parfum préféré. Les deux fillettes s'installèrent contre un tronc couché pour prendre ce petit en-cas et récupérer quelques forces. Une fois rassasiées, elles rangèrent leur pique-nique improvisé et Harmonie brandit sa baguette magique.

— À quoi est-ce qu'on joue ? demanda-t-elle à sa petite sœur impatiente. L'île aux pirates des mers du Sud ?

— Ouiiii ! Et on dirait que ce serait moi la célèbre Capitaine Miette qui hanterait les sept mers !

— Si tu veux ! Et moi ? Je suis qui dans tout ça ?

— Toi ? Tu pourrais être la fidèle moussaillon dompteuse de dragons et Youki serait un terrible guerrier cracheur de feu, pour brûler les voiles des ennemis !

— Ha ! Ha ! C'est une bonne idée ! Dans ce cas, c'est parti !

Harmonie inspira profondément pour puiser la magie qui sommeillait en elle et fit tournoyer sa baguette au-dessus de sa tête. Des volutes de magie lumineuses et dorées scintillèrent soudain et Harmonie prononça la fameuse formule qu'elle avait apprise à l'école quelque temps plus tôt…

Environ trois mois auparavant, madame Zénobie Potentille, la maîtresse d'Harmonie, avait amené toute sa classe sur le grand carré d'herbe derrière l'école, qui servait de terrain d'entraînement à la course de balais et autres activités magiques extérieures. Les gradins autour de la grande étendue étaient déserts et les douves pour les courses de turbo-serpents étaient à sec, la saison étant terminée depuis quelques semaines.

Il faisait déjà très beau, l'herbe était bien verte et le sol suffisamment sec pour que les enfants puissent s'y asseoir sans risquer de salir leurs vêtements. Ils s'étaient disposés en cercle autour de la maîtresse selon ses instructions et l'avaient attentivement écoutée.

— Les enfants, la leçon d'aujourd'hui est un peu spéciale. Nous n'allons pas apprendre les mathématiques ou l'histoire de la magie, non. Nous allons apprendre à raconter des histoires…

— Oooh ! avaient-ils répondu d'une même voix, très intrigués.

— Il y a plusieurs façons de raconter une histoire, mais toutes ont un seul et même objectif qu'il vous faut retenir : faire vivre une aventure incroyable à la personne qui vous lit ou vous écoute. Et aujourd'hui, je vais vous apprendre l'une de ces façons de raconter, avec le sort d'Ilététunefoi. Quelqu'un le connaît ?

— Moi, maîtresse ! avait répondu Alcide en levant la main, plus nerveusement qu'il ne l'aurait voulu.

— Très bien ! Et quand l'as-tu déjà vu ou entendu, Alcide ? l'interrogea-t-elle.

— Ben…

Il avait hésité un instant, ayant peur des moqueries et du regard des autres à cause de la réponse qu'il allait donner. Mais comme il s'était précipité pour prendre la parole, il avait été obligé de finir ce qu'il avait à dire.

— Tous les soirs, quand mon papa ou ma maman viennent me raconter une histoire, ils l'utilisent, avoua-t-il un peu honteusement.

Tous les autres enfants s'étaient mis à ricaner. Les trois petites pestes Mirabelle, Cassandre et Rowena, qui ne rataient pas une seule occasion de se moquer d'Alcide pour son embonpoint ou ses cheveux toujours en bataille, s'étaient fait un plaisir de l'affubler d'un surnom de « gros bébé à sa maman qui veut son histoire pour faire dodo » suite à cette confidence.

Cette fois, tous les élèves avaient éclaté de rire et Alcide était devenu écarlate, s'en voulant à lui-même d'en avoir trop dit.

— Moi aussi, j'adore quand mes parents viennent me conter une histoire, avait rétorqué Harmonie en jetant aux autres élèves un regard noir. Et j'adore voir tout le décor apparaître dans ma chambre ! Ne me

faites pas croire qu'on ne vient pas vous en raconter à vous aussi ! avait-elle ajouté sèchement.

Les autres élèves s'étaient alors tus et s'étaient jeté les uns aux autres des regards un peu gênés face à cette réalité, ne se souvenant que trop bien des aventures qu'ils aimaient vivre eux aussi avant de s'endormir. Mais ils étaient tous à l'âge où l'on aime être encore un peu bébé, mais où l'on préfère que ça ne se sache pas trop.

Alcide avait été soulagé qu'Harmonie vole ainsi à son secours et s'était réinstallé à sa place avec sérénité.

— Moi aussi, j'aime lire des histoires le soir, avait poursuivi Harmonie. Ma petite sœur Miette aussi aime beaucoup ce moment-là et j'ai hâte de pouvoir lui en raconter une en utilisant ce sortilège !

Madame Pontentille avait adressé à Harmonie un léger sourire accompagné d'un discret hochement de tête, comme pour approuver ses paroles et pour la remercier silencieusement d'avoir calmé le groupe avec son intervention, lui permettant de poursuivre son cours.

— Merci pour vos réponses, les enfants. En effet, les parents ou les conteurs utilisent très souvent ce sortilège lorsqu'ils lisent un livre à haute voix afin de faire apparaître l'histoire non plus dans la tête de leurs auditeurs mais bien devant leurs yeux ! Ils font appel à un peu de leur magie et à beaucoup d'imagination pour inventer mille et une aventures merveilleuses ! Mais une petite démonstration vaut mieux qu'un long discours.

La maîtresse avait alors sorti sa baguette magique de sa manche et avait levé les deux mains en l'air, avec une expression très solennelle sur le visage. Elle avait fait tournoyer sa baguette dans une savante chorégraphie que les enfants avaient observée avec attention. Ils allaient bientôt devoir la reproduire.

— Vous êtes prêts ? avait-elle lancé à leur intention. Ilététunefoi ! Lecirkéla !

Tout à coup, des tourbillons de couleurs avaient jailli de sa baguette et un voile de magie avait recouvert le sol, les douves, les gradins. L'herbe avait pris un aspect de sable fin passant d'un vert profond à un ocre chaleureux.

Les élèves s'étaient émerveillés de voir un immense chapiteau de cirque soutenu par de solides câbles entrelacés se dresser au milieu de la pelouse en un clin d'œil. Des guirlandes scintillaient tout autour de la structure et des drapeaux multicolores virevoltaient avec le vent.

— Bien ! Voilà la première étape pour raconter une histoire : planter le décor ! avait lancé madame Pontentille. Mais peut-être pourrions-nous aller plus loin ? Qu'en dites-vous ?

— Ouiiii ! avaient-ils tous répondu en chœur.

— C'est là où le sort devient très intéressant, les enfants. Avec lui, nous pouvons modifier notre décor à l'infini, au gré de notre imagination. Que pourrions-nous ajouter comme décorations ou personnages ?

— Ici une cage avec des loups-garous apprivoisés ! avait lancé l'un des élèves.

— Et là une roulotte à voiles ! avait proposé un autre.

— Des momies funambules sur le câble, là-haut !

— Des fantômes magiciens qui feraient des tours aux spectateurs !

— Un dompteur de squelettes d'éléphants dans une arène !

— Un arbre-clown à l'entrée du chapiteau !

— Trois lunes dans le ciel !

— Un Monsieur Loyal sur un gros ballon !

— Des crapauds choristes !

Les enfants avaient eu des idées si incroyables que la maîtresse avait eu du mal à tout faire apparaître. Mais elle avait été heureuse de voir à quel point créer une histoire de toutes pièces leur plaisait autant à tous.

— Cette fois, je crois que nous avons un décor drôlement beau! avait-elle constaté. Quelle est la seconde étape, quand on raconte une histoire?

— Créer les personnages principaux? avait proposé Cassandre.

— Exactement! Et là aussi, il y a plusieurs façons de le faire. Ou bien on les fait apparaître directement et ils évoluent au fur et à mesure que l'on conte l'histoire, ou bien l'auditrice ou l'auditeur deviennent eux-mêmes les personnages en se déguisant. Que préférez-vous!

— Les déguisements! Les déguisements! avaient-ils tous scandé en même temps.

Ce n'était pas tous les jours ni dans toutes les écoles que l'on apprenait des leçons en se déguisant et en jouant un rôle! Avec quelques nouveaux tours de baguettes et en suivant les instructions de madame Potentille, tous les enfants avaient appris à revêtir un déguisement et à évoluer dans un décor imaginaire. Ils s'étaient entraînés par petits groupes, occupant tour à tour les postes de conteurs, personnages ou auditeurs et tous ensemble, ils avaient imaginé de fabuleux voyages, des récits épiques ou bien du quotidien poétique.

La troisième étape avait consisté à créer un début d'histoire puis à imaginer diverses péripéties. Enfin, et c'était là le plus important, les enfants avaient appris à conclure une histoire. Une fois la leçon finie, toutes leurs créations avaient fondu pour s'enfoncer dans la terre et disparaître. Les enfants étaient retournés en classe épuisés mais ravis. Harmonie se faisait une joie de pouvoir désormais jouer dans de fabuleux décors avec sa petite sœur.

Bientôt, les histoires qu'elle et ses camarades de classe inventeraient n'auraient plus aucune limite.

— Ilététunefoi ! Piratekevoilà ! lança Harmonie en se souvenant de cette fabuleuse journée d'école.

Miette était bouchée bée. Comme à chaque fois qu'Harmonie préparait un décor, elle resta un peu en retrait pour s'émerveiller du sortilège, trépignant d'impatience. Elle observa la magie se répandre au milieu de la clairière et devenir un décor d'île paradisiaque, donnant aux chênes bicentenaires et aux arbres-sorciers l'apparence d'exotiques palmiers. Les buissons fleuris qui bordaient la clairière devinrent des rochers baignant à demi dans l'eau scintillante et la prairie prit des allures de plage de sable fin, frappée par le ressac de vagues turquoise.

Harmonie ajouta des détails à l'ensemble. Ici, des caisses de marchandises sous de lourds filets de pêche entremêlés. Là, un hamac suspendu entre deux troncs. Plus loin, des tonneaux empilés les uns sur les autres et des mouettes rousses venues se percher au sommet. Dans l'eau, une vieille épave de barque échouée contre le rivage… Tous ces petits détails donnèrent corps à l'histoire que les deux petites sorcières s'apprêtaient à conter.

Mais ce qui fascinait Miette par-dessus tout avec le sortilège d'Ilététunefoi n'était pas tant l'illusion qu'il créait en déguisant le décor que le style graphique avec lequel il le faisait. En effet, selon la personne qui inventait ou contait l'histoire, les décors n'étaient pas « dessinés » de la même façon. Chaque conteur avait son propre style, sa propre façon de raconter.

Harmonie avait un style très doux, très coloré. Les vagues ressemblaient à des coups de pinceaux qui tourbillonnaient, le sable semblait fait de paillettes d'or, les troncs des palmiers ne présentaient aucune aspérité et leurs feuilles étaient toutes rondes. Son style personnel donnait à son décor un ton accueillant et chaleureux, presque douillet, en tout cas très mignon et enfantin.

Mais sans doute l'était-ce un peu trop au goût de Miette. Une fois le décor installé, la cadette des deux sorcières reprit la parole. En tant que capitaine, elle dicta ses ordres.

— Je veux un crâne de dragon ! ordonna-t-elle à sa grande sœur.

Harmonie ne releva pas ce ton un peu trop autoritaire et dans un geste souple du poignet, elle envoya une salve de magie contre la paroi de la colline, précisément là où se trouvait l'entrée de la grotte qu'elles comptaient visiter. La pierre fut alors recouverte d'un léger voile de magie, deux ouvertures supplémentaires se dessinèrent au-dessus de l'entrée, une mâchoire allongée se profila, des dents poussèrent en haut et en bas et des cornes ornèrent le crâne désormais créé. L'entrée de la cavité était devenue un crâne de dragon gigantesque.

Cette fois, leur histoire était en place !

— Te souviens-tu de la seconde étape pour créer une histoire, Miette ? Je te l'ai apprise la dernière fois !

— Les personnages principaux !

— Exactement ! C'est à nous, maintenant. Tu es prête ? Yo-ho ! Piratalo ! Épéchapo !

— Hi ! Hi ! Ça chatouille, s'exclama Miette en se faisant recouvrir de volutes de magie colorées.

Sur sa tête poussa un tricorne de pirate aux coutures finement travaillées. Elle fut vêtue d'une épaisse redingote pourpre brodée aux fils d'or, aux boutons brillants et aux manches retroussées. À ses pieds, une paire de bottes vernies se dessina. Une longue-vue pendait maintenant sur sa hanche, fixée à une épaisse ceinture en cuir lui entourant la taille. Dans sa main une longue épée en bois apparut.

— Trop fort! lança Miette en découvrant son superbe costume. La Capitaine Miette était désormais prêt à en découdre avec les plus infâmes pirates ou à affronter les flots capricieux des océans lointains!

Harmonie enfila elle aussi un déguisement magique un peu plus sobre, n'occupant que le poste de mousse dans leur jeu. Un bandeau sur la tête, une chemise rayée et un pantalon usé feraient parfaitement l'affaire. Sa ceinture à elle n'était qu'une bande de tissu nouée sur le devant.

— J'adore ce sortilège, ajouta Harmonie en admirant son costume. Je crois même que c'est mon préféré!

— Hardi, moussaillon! Nous avons un trésor à dérober dans l'antre du terrible dragon qui dort!

— À vos ordres, Capitaine Miette!

Harmonie se dirigea vers les arbres qui ceinturaient la clairière et qui n'avaient pas été touchés par le décor qu'elle venait d'inventer. Elle déblaya quelques feuilles mortes et attrapa deux belles branches cassées qui gisaient sur le sol et revint vers Youki.

— Écailles rouges, allume donc ces torches! ordonna-t-elle à son tour.

Le petit dragon s'exécuta avec une immense joie, éprouvant un réel plaisir à brûler des choses. Un plaisir que seul un dragon pouvait ressentir, pensa d'ailleurs Harmonie.

Alors qu'elle n'était encore qu'en maternelle et que sa petite sœur venait à peine de naître, Harmonie avait appris que les dragons aimaient se nourrir de cendres. Que c'était sans doute pour ça que la Nature les avait dotés du pouvoir de cracher le feu. Elle avait immédiatement été fascinée par cet animal et en avait réclamé un à ses parents. Au début, ils avaient refusé, ayant déjà bien assez de travail avec deux filles dont une encore bébé. Puis, quand Miette avait grandi, elles s'étaient mises à deux pour supplier leurs parents.

— Moi veux gagon ! balbutiait sans cesse Miette.

Tibor et Artémissia avaient fini par céder. Ils avaient recueilli un tout jeune dragon et une belle complicité s'était tissée entre les fillettes et l'animal. Harmonie avait hâte de le voir à l'œuvre à cracher du feu et manger des cendres. Et pour la grande joie de la fillette, Youki n'avait pas échappé à la règle.

À la maison, il passait son temps à nettoyer le foyer de la cheminée à grands coups de langue et mettait des traces de pattes noires un peu partout dans la maison, donnant un travail sans cesse renouvelé à Hildegarde et Norbert, les balais majordomes.

— VROUF! fit la flamme qui s'échappait de la gueule du dragon, quand elle vint lécher l'extrémité des deux bouts de bois qui s'embrasèrent aussitôt.

La moussaillon Harmonie, suivie par la Capitaine Miette et leur fidèle « écailles rouges » grimpèrent la petite falaise qui menait dans l'antre du dragon imaginaire. Les deux petites sorcières s'engouffrèrent dans la grotte à pas feutrés, fascinées par le ballet des ombres qui dansaient sur les parois.

L'aventure pouvait commencer…

CHAPITRE 4

L'OMBRE
DU MONSTRE

APITAINE, vous êtes certaine que c'est bien prudent? demanda Harmonie, simulant une certaine inquiétude.

— Allons, moussaillon! Vous avez la frousse? En avant! ordonna la Capitaine Miette.

Malgré leur jeu, il fallait bien avouer que l'atmosphère qui régnait dans la grotte était étrange et lourde. Il faisait très humide, comme si la colline elle-même avait trop chaud et qu'elle transpirait par cette cavité. De légers filets d'eau suintaient du plafond et des gouttelettes tombaient au loin dans un « plic ploc » régulier. Chaque goutte emportait avec elle de petites particules rocheuses qui, après des millénaires à couler ainsi, s'étaient accumulées pour former des stalactites, donnant la sensation pesante que le plafond dégoulinait de toutes parts, prêt à leur tomber dessus.

Des petites particules de poussières étaient en suspension dans l'air, comme un millier de lucioles microscopiques éclairées par les torches des fillettes et par le filet de lumière venu de l'extérieur, qui se jetait sur la roche. Le vent s'engouffrait dans la grotte

et les faisait danser, tandis que son sifflement sonnait comme une lugubre respiration, glaçant le sang des deux petites pirates. Mais ce qui les étonna le plus, c'étaient ces étranges formations rocheuses à leurs pieds…

Parmi les stalagmites formées elles aussi par les gouttes d'eau ruisselantes qui se dessinaient timidement au sol, mais encore loin d'embrasser les stalactites qui pendaient à leur verticale, se trouvaient çà et là d'étonnants empilements de galets, ressemblant aux cairns que les randonneurs créent parfois pour baliser un sentier, afin qu'il soit repérable dans le brouillard. Miette se pencha justement pour mieux les observer.

— Regardez ces drôles de petites tours de cailloux, moussaillon ! Qu'est-ce que c'est ?!

— Aucune idée, Capitaine. Je n'en avais jamais vu avant, répondit Harmonie réellement surprise.

— Il y en a partout ! C'est rigolo, ajouta Miette en levant les yeux vers le fond de la grotte, ne pouvant compter toutes ces étranges petites tourelles en pierre.

— Avançons, Capitaine, suggéra Harmonie en voulant revenir à leur jeu. Le trésor n'est peut-être plus très loin !

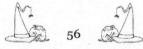

Les deux petites pirates s'enfoncèrent un peu plus dans les profondeurs de la grotte en caressant les murs de pierres froides et suintantes.

— Regardez, Capitaine. Les parois sont lisses. Cette grotte doit être très ancienne.

— Ça pourrait être une grotte préhistorique! proposa Miette. Comme dans le livre de maman, tu sais? Celui avec les belles illustrations de ces grands animaux tout poilus et à longues défenses!

— Bonne idée! Faisons ça!

Harmonie brandit à nouveau sa baguette en complétant le sort d'Ilététunefoi.

— Décopintur! Pinsurlémur! lança-t-elle en visant la paroi.

Pouf!

De superbes peintures apparurent sur les parois, représentant différentes scènes de la vie des hommes préhistoriques. Ici une idole vénérée par une ethnie, là une main d'enfant tracée dans de la poudre rouge.

— Comme c'est beau, s'émerveilla Miette en contemplant les peintures.

Sur un côté, les fillettes contemplèrent plusieurs esquisses d'animaux qui se superposaient les unes aux autres. Un souvenir commun illustré par le sortilège, pensèrent-elles.

Quelque temps plus tôt, Miette, Harmonie et leurs parents avaient visité un site de grottes préhistoriques. Les deux enfants avaient été fascinées par ces superpositions qui jonchaient les parois. C'était comme si l'artiste cherchait la silhouette animale parfaite et recommençait encore et encore le même dessin.

Tibor leur avait raconté comment les hommes préhistoriques avaient fait ces dessins. En réalité, ils sculptaient une forme d'animal dans un morceau d'os ou de bois et le perchaient sur une stalactite ou sur une branche. Avec une torche, ils éclairaient une des faces de la sculpture, projetant son ombre sur le mur naturel en face. L'artiste n'avait alors plus qu'à tracer le contour de l'ombre, dessinant ainsi l'animal.

— Mais papa ! Pourquoi il y en a plein de mélangés, de dessins ? avait demandé Miette innocemment.

— Imagine la situation, ma chérie. Tu trouveras la réponse, lui avait conseillé son père bienveillant.

Miette s'était concentrée très fort pour découvrir la solution. Harmonie, elle, semblait déjà avoir compris. Et puis le regard de la plus petite des deux s'était illuminé. Elle s'était souvenue des ombres projetées par la cheminée de leur maison.

— S'il y a plein de dessins les uns sur les autres, c'est parce qu'à cause de la flamme de la torche et du vent qui souffle un peu dans la grotte, l'ombre bouge tout le temps ! J'ai bon ?

— C'est exactement ça, avait répondu fièrement Tibor. L'ombre du modèle étant en perpétuel mouvement et la surface de la roche n'étant pas plane, l'artiste était obligé de reprendre constamment son dessin ! Mais c'était une excellente façon de s'entraîner, d'apprendre à manipuler un outil artistique !

Et toute la petite famille avait continué la visite, faisant naître dans le cœur de Miette la passion de la découverte.

— Nom d'un canon ! s'exclama soudain Miette en continuant à admirer les peintures. Regardez ces courageux hommes, moussaillon !

Les deux sœurs se tournèrent alors vers une fresque représentant une troupe de guerriers primitifs affrontant à la lance un gigantesque dragon à deux têtes.

— Ils n'ont aucune chance face à ce terrible prédateur, rétorqua Harmonie.

Puis elle détourna le regard en direction de Youki qui s'évertuait à vouloir attraper sa queue en tournant

en rond, sans que l'on sache vraiment le but de la manœuvre. Harmonie lâcha un soupir, accompagné d'un léger sourire.

— Avec lui, on court moins de risques, ironisa-t-elle devant la scène plutôt amusante de cet animal tournant sur lui-même.

Harmonie et Miette éclatèrent de rire et le son se propagea à l'infini en rebondissant sur la pierre.

— Grou ? lança Youki, sans comprendre la cause de cette soudaine hilarité.

— Continuons l'aventure, proposa Miette. On serait des pirates exploratrices et le trésor caché serait très très ancien !

— Elle est géniale, ton histoire ! Tu as vraiment des idées incroyables !

C'était cela qui faisait la force du sortilège d'Ilététunefoi. Les conteurs pouvaient sans cesse l'améliorer en y ajoutant les ingrédients de leur choix, avec pour seules limites celles de leur imagination. Et Miette débordait de nouvelles idées pour agrémenter les décors et pour créer de fabuleuses aventures. Sous les ordres de sa capitaine, Harmonie fit apparaître une superbe carte aux trésors où une croix rouge marquait l'emplacement d'un coffre imaginaire.

— Notre butin n'est pas loin ! Je le sens.

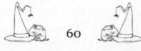

Elles jouèrent un moment dans la grotte, ici affrontant une horde de chauve-souris géantes au pelage mauve, là évitant d'écraser des mille-pattes phosphorescents…

Quand soudain, un son étrange venu du fond de la grotte les fit sortir de leur jeu.

— SHKRONK! CRONCH! MIOM!

Miette et Harmonie tournèrent la tête en même temps en direction de Youki, pensant qu'il avait enfin réussi à attraper sa queue fourchue et que c'était à lui que l'on devait ces bruits de mastication.

Mais non. Le paisible animal somnolait à présent dans un coin sans prêter la moindre attention à ce qui se tramait autour de lui.

Tout à coup, SLUUUUUURP! Un énorme bruit de succion ressemblant à celui que l'on fait avec une paille quand on aspire les dernières gouttes de sa boisson préférée résonna dans toute la grotte. La membrane de magie qui recouvrait les parois et qui servait de décor aux fillettes se déchira de toutes parts et fut aspirée instantanément vers le fond de la cavité, précisément dans la direction d'où provenait cet étrange bruit.

— Hey! Notre décor! s'écria Miette en tentant vainement de s'accrocher à la fine pellicule de magie qui disparaissait.

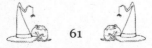

— CRUNCH! MIAM!

— Noooon! C'est notre jeu!

Harmonie n'en croyait ni ses yeux ni ses oreilles et resta interdite face à cet étrange phénomène. Elle n'avait jamais entendu dire que quand les histoires des enfants disparaissaient dans la terre, ça faisait un bruit aussi dégoûtant!

Sur le grand terrain, madame Pontentille avait appris à ses élèves ce qui se passait une fois que l'on cessait de jouer avec le sort d'Ilététunefoi.

Ils avaient attentivement observé la manière dont la membrane de magie qu'ils avaient créée, fondait et disparaissait dans la terre, retournant dans le courant de magie brute qui circulait sous leurs pieds.

— Vous vous souvenez des cours de l'année dernière à propos de la magie de la terre, j'espère! demanda la maîtresse.

— Ouiiiiiiii, madame! répondirent-ils à l'unisson. C'est comme une rivière qui suivrait un courant souterrain! récitèrent-ils tous en chœur.

— Exactement! Quand on naît, on a peu de magie en nous, alors on mange les fruits de la terre

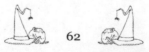

et, sans le savoir, on se nourrit aussi de magie dont ils sont gorgés. En grandissant, nous nous créons une réserve personnelle de magie brute qui se fixe en nous et un beau jour, vers l'âge de sept ans, elle est assez pleine pour pouvoir commencer à la manipuler et ainsi jeter nos premiers sorts. Eh bien, le sortilège d'Ilététunefoi est très particulier, car il est le seul qui rend à ce courant une infime partie de la magie qu'on lui a prise.

— Wouaaaah… s'émerveillèrent la plupart des élèves.

— Mais sachez que la magie n'est pas que dans la terre ! Elle est partout autour de nous : dans la nourriture que l'on mange, mais aussi dans l'air que l'on respire. Et il en existe même d'autres sources insoupçonnées…

— Lesquelles, maîtresse ? s'impatienta un élève attentif.

— La lecture, la musique, notre imagination ! Mais aussi le partage, l'entraide…

— Ah bon ? s'étonna une fillette sur le côté du groupe. Quand on lit ou qu'on invente une histoire, on gagne en magie ?

— Bien sûr, Galatée ! Chaque fois que l'on se cultive ou que l'on fait le bien autour de soi, on augmente sa jauge personnelle de magie ! C'est pour cela

qu'il faut manger avec bon appétit et être attentif en classe ! Pour en être abreuvé !

Tout le groupe s'était ensuite installé dans la grande bibliothèque de l'école, pour se reposer après cette copieuse après-midi.

— SHCRONCH ! MIOM ! résonnèrent à nouveau d'étranges bruits au fond de la grotte, interrompant les souvenirs d'Harmonie à propos de la magie.

— Youki ! Va voir ce qui se passe, s'il te plaît ! lui intima Harmonie.

La demande de sa maîtresse ainsi que les inquiétants bruits de mastication sortirent Youki de sa rêverie. Il s'étira puis bondit par-dessus le rocher d'où semblaient provenir les sons.

Durant une seconde, il ne se passa rien, puis il cracha un jet de flammes, sans doute provoqué par un coup de panique.

C'était son réflexe défensif en cas de danger. Il y avait déjà eu plusieurs problèmes à ce propos à la maison, quand il lui arrivait de faire des cauchemars. Une des bibliothèques du couloir avait pris feu à plusieurs reprises… Une ombre terrifiante se dessina alors contre la paroi, provoquée par un animal à la silhouette inconnue, éclairé par le jet de flammes.

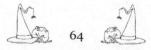

— KOOOOR! hurla l'animal, surpris par le feu.

Ne s'y attendant pas, les deux petites sorcières hurlèrent d'épouvante face à cette ombre gigantesque et menaçante, qui disparut aussitôt.

— Un monstre! AAAAAAAH!

Une odeur de brûlé baigna soudain la cavité. Les petites sorcières se précipitèrent vers la sortie de la grotte en criant, dégringolèrent de la petite colline en un clin d'œil et enfourchèrent le balai d'Harmonie aussi vite que possible.

— Youki! Viiiiiiiiiiite!

Youki, sans doute effrayé par le monstre, vola à la suite de ses deux petites maîtresses et le trio quitta la clairière sans même se retourner, ni voir tout leur décor disparaître en un éclair.

— C'était quoi, dis? demanda Miette avec inquiétude en se penchant vers sa grande sœur.

— Aucune idée, rétorqua Harmonie en frissonnant. Mais je n'ai pas envie de le savoir!

Maintenant à bonne distance, les deux petites sorcières ne remarquèrent pas l'étrange animal qui les observait depuis l'entrée de la grotte, en se tapotant le haut du crâne pour éteindre une petite touffe de poils calcinée…

CHAPITRE 5

TROIS PETITES
PESTES

IANCA! Où es-tuuuu?! Viens, ma belle! Viens!

Le pauvre Pluton Folle-Avoine s'époumonait depuis le début de l'après-midi à la recherche de son oiseau. Il avait arpenté toutes les rues du village, sonné à chaque porte pour tenter de trouver la moindre trace du volatile, mais tout cela ne l'avait mené à rien. Personne dans le village ne semblait avoir aperçu la belle Bianca.

— Bianca est une petite voleuse, s'était dit le petit garçon. Peut-être a-t-elle trouvé de jolis objets à dérober! Mais personne ne m'a parlé de disparitions étranges… Elle est sans doute en forêt à orner son nid de tous ses trésors…

Alors il avait réuni quelques petites affaires, s'était rempli une gourde et avait pris soin d'attraper un bijou étincelant pour tenter de l'attirer à lui.

Désormais, il fouillait chaque buisson, remontait chaque sentier de la forêt de Pamprelune, levant les yeux sur chaque branche, cherchant désespérément sa compagne de toujours. Et il en avait croisé, des animaux! Des chats sauvages dont il avait inspecté

les babines pour être sûr que Bianca ne se soit pas fait avaler toute crue, des hordes de chauves-souris et beaucoup d'oiseaux migrateurs venus faire une petite halte dans la forêt. Mais aucun ne ressemblait à Bianca et il ne trouva pas la moindre plume aux reflets bleutés.

L'heure commençait à tourner. Pluton était fatigué et un peu triste.

Mirabelle, Cassandre et Rowena jouaient en forêt depuis longtemps déjà quand Pluton déboucha dans la clairière à quelques mètres à peine d'elles.

Il ne fit pas tout de suite attention aux trois petites pestes, trop occupé à observer les branchages au-dessus de sa tête, mais il la baissa en entendant leurs petits ricanements moqueurs.

— Alors, Pluton, on a perdu son petit oiseau et on est tout triste ? jubila Mirabelle.

— Laissez-moi tranquille, lança-t-il sans les regarder.

— Mais c'est qu'il répond, maintenant ! s'étonna Cassandre.

— Donnons-lui une bonne leçon pour son insolence, proposa sournoisement Rowena.

— C'est reparti, soupira tristement Pluton.

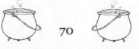

En effet, depuis quelques mois déjà, les trois petites pestes l'avaient pris pour nouvelle cible de leurs facéties. Pas un jour ne passait sans qu'elles ne prennent soin de le ridiculiser dans la cour de récréation ou devant ses parents.

Ça avait commencé quand il avait vraiment sympathisé avec Harmonie, lors d'une sortie scolaire à la Grande Académie des Sorciers. Harmonie et lui avaient rédigé un exposé ensemble sur Maître Nicodémus Flamélio, le doyen des grands sorciers de l'Académie et ils avaient obtenu la meilleure note.

Prise de jalousie, Rowena avait décidé d'en faire son nouveau souffre-douleur, ayant pris soin de ne plus approcher Miette et Harmonie. Mais Cassandre, elle, savait bien que la note de l'exposé n'était pas la principale raison de cette haine soudaine…

Elle avait surpris Rowena à écrire un poème parlant du beau Pluton et avait très bien compris que Rowena, n'osant pas s'attaquer directement à Harmonie qu'elle considérait comme sa concurrente directe, préférait attirer l'attention de Pluton avec la seule arme dont elle disposait : sa colère. Mirabelle, elle, se contentait de suivre ses copines, plus par habitude qu'autre chose.

Au début, Pluton s'était rebellé, ne faisant qu'attiser la colère des fillettes. Alors il avait décidé de jouer les résignés, à la manière de son copain de classe Alcide Nivéole, la victime des quolibets des trois pestes du trimestre précédent. Il avait compris qu'en agissant ainsi, elles finiraient par se lasser et par l'abandonner, sans doute en se trouvant une nouvelle cible.

Mais il devait bien l'admettre, ce moment tardait à arriver…

— Nous allons inventer une belle histoire pour toi, Pluton! ironisa Rowena. Et tu seras notre personnage principal. Grâce au sortilège d'Ilététunefoi, tu vas devenir le plus grand comédien de cette forêt!

Tour à tour, les fillettes inventèrent des histoires plus absurdes les unes que les autres, déguisant à chaque fois le petit garçon d'une manière ridicule. Attendant que ça se passe, Pluton s'assit sur un tronc d'arbre couché et continua à observer les alentours, guettant tout signe de la présence de son oiseau. Il ne sentait même plus les chatouillements de la magie qui l'englobait.

— En momie, ça lui va bien aussi! jubila Cassandre en se moquant de Pluton, désormais

couvert de bandelettes usées, au pied d'un immense temple orné de deux statues de pharaons.

— À moi! À moi! trépigna Mirabelle. Bâtosoulo! lança-t-elle, fière de transformer sa victime en scaphandrier avec une combinaison intégrale.

— J'ai une idée dans le même thème! annonça Rowena triomphante.

Elle agita sa baguette, prononça une formule et pouf! Pluton fut désormais déguisé en triton, les jambes transformées en une belle queue de poisson brillant de mille feux. Les trois pestes éclatèrent de rire à ce nouveau costume.

— Je suis sûre qu'avec des écailles aussi brillantes, ta chère Bianca va vouloir t'attraper et te cacher dans son nid, ricana Rowena.

— Je peux partir maintenant? demanda-t-il sur le ton de la conversation.

— Partir? Mais pour quoi faire? lança Rowena triomphante. On s'amuse tellement ici! Pas toi?

Cassandre leva les yeux au ciel, attirée par le son d'un balai en vol et par le bruissement des ailes d'un dragon.

— Tiens, tiens… Regardez qui voilà! lança-t-elle à ses deux amies, qui levèrent les yeux à leur tour.

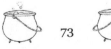

Au-dessus d'elles, Harmonie, Miette et Youki déboulèrent de derrière les arbres et atterrirent au centre de la clairière, visiblement apeurés par quelque chose, d'après l'expression que Rowena pouvait lire sur leurs visages. Mais en découvrant la situation, les deux sœurs reprirent le contrôle de leurs émotions, pour ne pas donner d'eau au moulin des trois pestes.

La magie qui entourait Pluton se délaya instantanément. Il se leva de la vieille souche, se débarrassa des dernières volutes de magie encore accrochées à ses vêtements et les regarda disparaître dans la terre. Harmonie, un peu inquiète, s'approcha de lui sous le regard empli de haine de Rowena.

— Pluton, ça va ?

— Oui, merci. Je cherchais ma petite Bianca et elles m'ont attrapé pour se moquer de moi. Comme d'habitude.

— Oh, pardon ! On embêtait ton amoureux ? ironisa Mirabelle, inconsciente du couteau qu'elle plantait en même temps dans le dos de sa copine Rowena.

Harmonie et Pluton rougirent à cette affirmation inattendue, en échangeant un regard très gêné. Ni elle ni lui n'avaient semblait-il envisagé la question de cette façon. Cassandre, elle, jeta un regard en coin à Rowena et vit qu'elle bouillonnait de l'intérieur.

— C'est pas son amoureux, d'abord ! éructa Miette en colère, toujours prête à défendre sa grande sœur. Et si vous embêtez encore Nini, je vous jette un sort ! Comme la dernière fois !

— Ouuuuh ! J'ai trop peur, miss magie-la-nuit ! ironisa Mirabelle.

— Têtedecitrouille ! lança Miette en accompagnant son cri d'un geste menaçant des deux mains.

Mirabelle, surprise par le geste, poussa un cri de terreur en se couvrant d'instinct le visage des mains, ne se souvenant que trop de l'humiliation qu'elle avait ressentie lors de sa transformation partielle en citrouille. Elle trébucha et s'étala en arrière de tout son long, subissant les rires moqueurs des deux sœurs et de Pluton. Même Cassandre et Rowena semblaient avoir du mal à se retenir, oubliant à la seconde toute forme de solidarité.

— Grrr, grogna Mirabelle en se relevant et en fusillant Miette du regard. Je ne vais pas me faire humilier par une fillette de cinq ans !

Mirabelle s'avança en direction de Miette en la menaçant d'un geste du doigt, mais Miette ne bougea pas d'un pouce, parfaitement sereine.

— Youki, attaque ! ordonna-t-elle calmement, avec un léger sourire satisfait sillonnant son visage.

— Glups ! Euh… pas bouger ! bredouilla Mirabelle quand l'animal, sous l'ordre de sa jeune maîtresse, bondit dans sa direction en montrant les crocs.

Youki dominait Mirabelle en la survolant et il la fit reculer de quelques pas, écartant ainsi toute menace à l'encontre de Miette. Rowena, qui s'était tue jusqu'alors, avait cherché en urgence un moyen de blesser Miette et Harmonie tout en restant dans le droit chemin. Faire punir les autres en les attaquant sur leurs fautes était beaucoup plus satisfaisant pour elle.

Elle savait bien que les parents des deux sœurs représentaient pour ces dernières une réelle autorité tout aussi bienveillante que ferme et vu leur état au moment où elles avaient atterri dans la clairière, il était évident qu'elles avaient commis quelque chose de louche. Rowena tenta donc un coup de bluff.

— Je suis sûre que vous n'avez pas le droit d'aller aussi loin dans la forêt, affirma-t-elle. Je vais le dire à vos parents !

— C'est ça, lui répondit Harmonie en voulant dissimuler son inquiétude naissante. Allez, viens, Miette. Allons-nous-en.

— Je vais continuer mes recherches, enchaîna Pluton pour changer de conversation. Vous ne voulez pas m'aider ? demanda-t-il aux deux sœurs.

— Désolé, répondit Harmonie. Nous devons rentrer à la maison. Nos parents… vont finir par se demander où nous sommes.

Harmonie et Miette rebroussèrent donc chemin pour enfourcher à nouveau leur balai, puis elles s'envolèrent, suivies de près par Youki. Au bout de quelques instants, elles disparurent derrière la cime des arbres.

Pluton, quant à lui, reprit ses recherches immédiatement, désormais ignoré par les trois pestes.

Il tomba nez à nez avec un étrange petit animal dont il n'avait jamais entendu parler : une sorte de boule de poils tachetée, pas plus haute qu'un chat, avec des petites cornes sur la tête, une grosse truffe ronde et une sorte de poche ventrale à la manière des marsupiaux qu'il avait déjà étudiés dans un livre. L'animal était plutôt mignon dans son genre, malgré sa petite touffe de poils brûlée sur son flanc, mais il n'était pas celui que recherchait Pluton.

— Pshiiiiit ! lança le petit garçon pour chasser la bestiole en agitant la main. Je ne sais pas ce que tu es, mais va-t'en de là.

— Kor ? répondit l'animal surpris.

Pluton lui somma de s'éloigner puis se détourna et ne lui prêta plus aucune attention. Le petit animal, visiblement déçu, disparut dans les sous-bois.

— Rouh… je les déteste! pesta Mirabelle à propos de Miette et Harmonie.

— Elles ont un dragon, soupira Rowena. C'est pas juste.

— Bon, à quoi on joue maintenant? interrogea Cassandre pour changer de sujet de conversation.

Malgré tout, Rowena jubilait secrètement, car elle avait ressenti le réel trouble d'Harmonie. Son attaque, aussi bête fût-elle, avait visiblement fait mouche. Cela voulait dire qu'elle avait découvert la vérité : Harmonie et Miette étaient réellement allées plus loin qu'elles ne l'auraient dû. Rowena se ferait un plaisir de se servir de cette menace en cas de problème, mais souriait déjà en s'imaginant les deux sœurs gênées de mentir à leurs parents pour le reste de la soirée afin de n'éveiller aucun soupçon.

— C'est bien fait pour toi, Harmonie! triompha-t-elle intérieurement.

Elle retourna à ses jeux avec ses deux copines et n'y pensa plus.

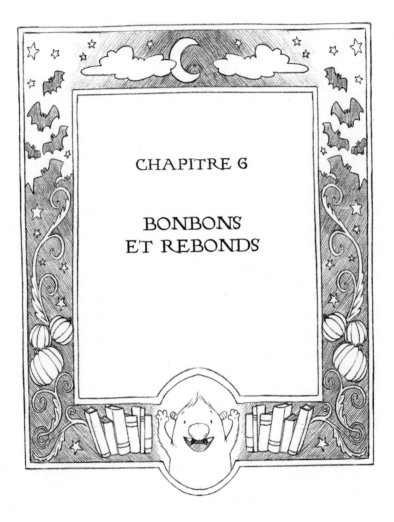

CHAPITRE 6

BONBONS
ET REBONDS

ING! Doleding! Dong!

La sonnerie matinale de « l'école de sorcellerie et d'enchantements primaire de Lysa Gora » retentit dans tout le quartier, incitant les retardataires à accélérer un peu le pas pour arriver à l'heure.

Certains élèves étaient accompagnés de leurs parents, d'autres venaient seuls, à pied ou sur leur balai, en volant prudemment pour ne pas bousculer leurs camarades.

Harmonie déposa sa petite sœur devant la grille de la maternelle et la salua après un bisou sur la joue, lui promettant de la retrouver à la cantine le midi même. Puis elle enfourcha son balai et contourna le bâtiment pour atterrir au milieu de la cour des grands. Elle y découvrit la directrice de l'école, sa propre mère, debout sur une petite estrade installée pour l'occasion, en train d'agiter les bras pour réunir devant elle tous les élèves.

— Dépêchez-vous, les enfants! lança Artémissia à celles et ceux qui n'avaient pas encore atterri. J'ai une

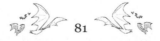

annonce à faire ! Mais d'abord, accueillons une autre partie de l'école qui est concernée elle aussi.

Le portail qui séparait la cour de la primaire de celle de la maternelle s'ouvrit dans une série de petits cliquetis au contact d'un sortilège que la directrice venait de lancer en direction de la serrure. Mademoiselle Verbena et monsieur Almonzor, institutrice et instituteur de l'école maternelle, guidèrent les jeunes élèves de leurs classes jusqu'au-devant de la petite estrade, non sans quelques difficultés.

Une certaine agitation régnait dans les rangs. La fatigue de la fin d'année était souvent la cause d'un léger relâchement de la discipline et les enfants étaient très dissipés. L'arrivée des petits ressemblait plus à une avalanche criante et remuante qui se déversait dans la cour des grands qu'à une vraie rangée d'élèves sages.

Celles et ceux qui avaient des grands frères et sœurs ne tardèrent d'ailleurs pas à les rejoindre, s'immisçant dans les rangs des grands eux aussi peu organisés.

Miette retrouva Harmonie et toutes les deux s'échangèrent un sourire en silence, se disant que finalement, elles n'avaient pas eu à attendre si longtemps pour se retrouver. Les instituteurs qui encadraient les élèves leur demandèrent de se calmer puis de se taire.

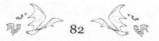

Le silence s'installa enfin dans les rangs et la directrice reprit la parole en souriant.

— Comme vous le savez, nous entamons aujourd'hui notre dernière semaine d'école !

— Ouiiiiiiiiiiiiiiiiiiiiiiiiiiiii ! répondirent les élèves d'une même voix, trop contents qu'il ne reste qu'une poignée de jours avant les longs mois chauds de l'été.

La plupart d'entre eux aimaient vraiment l'école et avaient le goût de l'apprentissage, mais une pause de temps en temps faisait toujours du bien.

— Une fin d'année est un moment un peu spécial, reprit Artémissia. Et pour la célébrer, nous allons préparer comme chaque année notre grande fête tous ensemble, entre l'école maternelle et l'école primaire !

— Ouaiiiiiiiiis ! scandèrent les élèves, débordant d'enthousiasme à l'idée de passer ces derniers jours d'école à décorer, à peindre, à se déguiser… bref, à s'amuser.

— Toutefois, le règlement intérieur de l'école est toujours en vigueur et ce, jusqu'à la fin de l'année, précisa Artémissia en se dirigeant vers les trois pestes qui se gavaient de friandises en cachette. Mesdemoiselles, je vous prierai donc d'aller jeter ce que vous avez dans la bouche à la poubelle.

— Grmbl… Oui, madame, répondit Rowena très contrariée, convaincue que la famille Pampre avait décidément une dent contre elle.

— Bien! reprit Artémissia. À vous de jouer, les enfants!

— Par ici! ordonna Zénobie Potentille, la maîtresse d'Harmonie. Nous allons former des équipes pour organiser le travail!

La plupart des élèves étaient pris d'un fol enthousiasme à l'idée de créer cette grande kermesse. L'événement avait lieu chaque année et c'était toujours un grand moment de joie.

Une scène était installée au fond de la cour pour montrer aux parents les chants et les spectacles de magie appris dans l'année, un grand buffet était dressé sous le préau où chacun amenait ce qu'il voulait et pouvait piocher dans les plats, des courses de balais et des tournois de sortilèges étaient les moments forts de la grande fête.

Plusieurs stands de jeux étaient également mis en place. Cette année était notamment marquée par un grand concours de Ricoche-billes, pour lequel les enfants s'étaient durement entraînés.

Seuls les élèves du dernier niveau de la primaire eurent un léger pincement au cœur. Pour eux, cette fin d'année scolaire signifiait surtout que leur

départ vers le Collège de Sorcellerie était imminent. Ils vivaient là leurs derniers instants en tant que « plus grands » de l'école et avaient le sentiment que tout le monde s'en réjouissait d'avance.

Heureusement pour Harmonie et tous les élèves de sa classe, cette question ne se poserait qu'en fin d'année suivante.

Dans la cour de récréation, chaque petit groupe d'élèves se consacrait à une tâche bien précise : les uns peignaient de grandes fresques décoratives, les autres découpaient des triangles de couleur dans du papier cartonné pour en faire des guirlandes. Par ici on dressait les stands de la kermesse, par là on réunissait dans un coin des piles de chaises qu'on installerait plus tard devant la scène.

L'école s'était transformée en véritable fourmilière et tous les élèves étaient ravis de participer à cette grande manifestation collective. Dans les couloirs, la troupe de balais majordomes de l'école chassait les moutons de poussières et les traces de boue laissées par les chaussures des enfants. Certains des petits fabriquaient les costumes pour la pièce de théâtre qu'ils avaient répétée toute l'année, tandis que d'autres peignaient sur de petites flèches en bois pour organiser la signalétique de toute la cour.

Les maîtres et les maîtresses usaient de magie pour accrocher les guirlandes de lampions les plus hautes,

pendant que les élèves les plus grands arpentaient chaque étage de l'école pour entrer dans les classes et pour en décorer chaque fenêtre.

Cachées à l'ombre du préau, à l'abri des regards indiscrets, Mirabelle, Cassandre et Rowena s'empiffraient de cara-malices et autres choco-mabouls à s'en faire mal au ventre. Elles n'avaient pas du tout apprécié d'avoir à jeter à la poubelle les friandises qu'elles avaient dans la bouche, et encore moins d'avoir eu à le faire devant tout le monde. Quelle humiliation ! Alors elles s'étaient furtivement retirées dans un coin où il y avait peu de passage, étaient remontées en douce dans la salle de classe pour récupérer leurs sachets de confiseries dans leurs cartables et étaient redescendues dans la cour avant que quelqu'un ne remarque leur absence.

Harmonie, qui venait de finir l'installation d'un stand avec Alcide et d'autres de ses amis, arriva justement sous le préau pour récupérer du matériel. Elle jeta un regard distrait dans la direction des trois pestes, qui la dévisagèrent avec défiance.

— Quoi ? Y a un problème ? lança hargneusement Rowena.

— Je n'ai rien dit ! bredouilla Harmonie, surprise de cette soudaine agressivité.

— On désobéit à sa maman, alors elle nous regarde de travers, ironisa Cassandre en mâchant bruyamment.

— Tu crois qu'elle va nous dénoncer ? interrogea Mirabelle.

— Elle ferait mieux de ne pas le faire, assura Rowena, assez fort pour qu'Harmonie l'entende. Sinon, je dirai à tout le monde que sa sœur et elle vont là où elles n'ont pas le droit d'aller…

Les trois pestes lancèrent un dernier regard cinglant à Harmonie, avant de se trouver un autre refuge où continuer à dévorer leurs sucreries. Harmonie resta interdite un moment, ne comprenant pas du tout ce qui venait de se passer. Elle ne leur avait même pas adressé la parole, n'avait pas soulevé le point de règlement que sa mère avait évoqué un peu plus tôt dans la matinée et n'était pas non plus revenue sur les événements de la forêt. Alors pourquoi s'en étaient-elles prises à elle de la sorte ?

— Qu'est-ce que je leur ai fait encore ? s'interrogea-t-elle, bien incapable de trouver la réponse.

Harmonie préféra oublier l'incident. Elle reprit son ouvrage, apportant le matériel dont un instituteur avait besoin et travailla à la réalisation d'une fresque durant l'heure suivante.

À la récréation, elle s'installa avec ses camarades de classe dans un coin ombragé de la cour pour organiser avec eux une partie de Ricoche-billes. L'ombre était nécessaire d'une part car il faisait très chaud, mais aussi et surtout pour bien voir les couleurs irisées des lumi-billes. Si l'on faisait rebondir sa lumi-bille sur la mauvaise couleur, c'était l'élimination assurée !

Pour le tournoi qui aurait lieu durant la kermesse, les enfants avaient prévu de tendre des toiles autour du terrain pour faire un peu d'ombre en attendant que le soleil se couche. Les kermesses duraient la plupart du temps jusqu'à tard dans la nuit.

Harmonie démarra la partie par une passe astucieuse, atteignant la première zone à dix centimètres au-dessus du sol, en un seul tir. D'un coup de baguette, les enfants lançaient des mini-formules à des petites sphères lumineuses qui exécutaient ensuite une série de passes dans différentes bases, symbolisées par des volutes de fumée colorées. Une partie de Ricoche-billes demandait ruse, habileté et anticipation.

Au bout de quelques minutes, les lumi-billes de son équipe étaient en très bonne position pour remporter la victoire, mais dans l'équipe adverse,

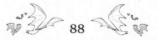

Diodore repéra une configuration spéciale et tenta un coup très technique.

— Ricoche-éclair ! lança-t-il, en touchant sa lumi-bille du bout de sa baguette.

— Tic ! Tic ! Tic ! Tic !

Sa lumi-bille irisée fit une série de quatre rebonds bien placés, écartant du cercle de jeu les lumi-billes de ses ennemis, puis virevolta dans un savant tourbillon avant de franchir le cercle de fumée à un mètre au-dessus de la zone de départ. Avec ce coup stratégique, il fit gagner la partie à son équipe.

— Ouaiiiiis ! hurlait de joie le vainqueur, sous les applaudissements de quelques élèves venus assister à la partie.

— Ooooh ! geignirent certains joueurs de l'équipe adverse en constatant leur défaite. C'est pas du jeu ! Y a triche !

Harmonie trouva le coup parfaitement maîtrisé et salua le talent de Diodore. En jetant un bref coup d'œil aux autres élèves venus assister à l'entraînement, elle reconnut Pluton, un peu à l'écart derrière l'une des colonnes du préau, qui regardait la partie de loin mais avec envie. Une profonde tristesse était tombée sur son visage, ce qui fit battre le cœur d'Harmonie plus fort encore.

— Pluton, tu viens t'entraîner avec nous pour le tournoi? lui proposa-t-elle en souriant. Il faut qu'on soit prêts si on veut remporter la lumi-bille d'or!

— Euh… non merci, Harmonie. Je… n'aime pas trop ce jeu, dit-il en décollant son dos de la colonne puis en s'éloignant, la tête basse.

— Quel menteur! Il adore ça, affirma Diodore.

— C'est juste qu'il a trop peur de perdre, ironisa un élève du groupe de spectateurs.

L'élève se fit rabrouer tout de suite par tous ses camarades. Personne n'avait trouvé drôle de se moquer de Pluton pour ça et l'élève moqueur s'excusa très vite, un peu honteux. Lui-même n'était pas l'enfant le plus habile au Ricoche-billes.

Harmonie regarda Pluton s'éloigner et se leva à son tour. Elle se retourna face à ses camarades pour expliquer la situation.

— Vous n'avez rien compris. Je ne devrais peut-être pas vous le dire, mais Pluton est inquiet parce qu'il a perdu son oiseau, depuis deux jours. Il n'est pas d'humeur à jouer, c'est tout. D'ailleurs, si vous croisez une pie voleuse ce soir dans votre jardin, ce serait très gentil de le lui signaler, il serait ravi!

— C'est promis, Harmonie! affirma Diodore, au nom du reste du groupe.

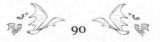

La sonnerie retentit et les élèves regagnèrent leurs classes en silence. Les petits étaient déjà retournés jouer dans leur propre cour de récréation. Dans la classe d'Harmonie, on s'occupait en jouant à divers jeux de société, en peaufinant son costume pour le spectacle ou en faisant quelques exercices, pour les élèves les plus motivés. Harmonie se tournait de temps en temps vers Pluton, mais ce dernier ne quittait pas la fenêtre des yeux, espérant sans trop y croire apercevoir sa pie Bianca se poser sur la branche d'un des arbres de la rue d'en face.

Elle comprenait sa tristesse. Il était arrivé à son dragon Youki de s'échapper quelque temps de la maison et elle en avait ressenti une profonde inquiétude. Elle espérait sincèrement pouvoir lui venir en aide et pas simplement pour le doux moment des remerciements.

À la fin de la journée, elle retrouverait Pluton pour avoir plus de détails sur les conditions de cette disparition.

La journée fila à toute allure et l'heure de la sortie s'annonça, alors que le soleil était encore haut.

Les enfants se réjouissaient : après avoir joué toute la journée en classe et dans la cour, ils pourraient

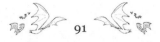

continuer leurs jeux à la maison, ne ramenant aucun devoir à faire au fond de leur cartable. Même les maîtres et les maîtresses s'étaient accordé une attitude plus détendue, des vêtements plus décontractés. Après tout, c'était bientôt les vacances pour tout le monde !

Harmonie descendit l'escalier principal et se dirigea vers son casier pour aller récupérer son balai volant. Elle jeta un bref coup d'œil dans le couloir et devina Pluton s'échapper au loin. Elle devait faire vite pour le rattraper. Elle le retrouva quelques instants plus tard à l'extérieur de l'école, sur le chemin de la maternelle. Il était à moitié accroupi à l'angle d'un muret, l'air de fureter.

Harmonie s'interrogea. Elle savait que Pluton était fils unique, il n'était donc pas en train d'attendre un petit frère ou une petite sœur. Alors que faisait-il dans cette étrange position ? Avait-il repéré son oiseau en ne voulant pas l'effrayer ? Ou était-il en train d'espionner quelqu'un ? Elle s'approcha pour en avoir le cœur net.

— Pluton ? Qu'est-ce que tu fais ? demanda-t-elle, faisant sursauter son camarade de classe qui ne s'attendait pas à une arrivée si furtive dans son dos.

— Harmonie ! lança-t-il en reprenant son souffle. Tu m'as fait peur !

— Que se passe-t-il ? Tu as aperçu Bianca s'engouffrer sous les voûtes du préau de l'école maternelle ?

— Non, je… j'étais en train de…

Il n'eut pas le temps de finir sa phrase. Harmonie l'avait déjà dépassé pour voir de quoi il retournait de l'autre côté du petit muret. Elle s'arrêta net en apercevant Cassandre, Mirabelle et Rowena en train d'enfourcher leur balai respectif, après s'être savamment recoiffées.

— Tu… tu les espionnais ? Mais pourquoi ? murmura-t-elle un peu inquiète.

Se pouvait-il qu'il en pinçât pour l'une des trois ? Elle espérait grandement que non.

— Pour rien… bredouilla-t-il, sentant la déception d'Harmonie.

Les trois pestes prirent appui sur le sol, fléchirent les jambes et bondirent d'un coup, puis s'envolèrent en direction de la forêt.

— Zut ! Elles partent ! s'écria Pluton en levant les yeux vers les trois petites sorcières. Je te raconterai, Harmonie. Promis ! jura-t-il en se retournant une dernière fois vers son amie. À demain !

Pluton enfourcha son balai et s'élança à la poursuite des trois copines, mais en gardant visiblement ses distances. C'était un fait très étrange qu'Harmonie

s'empresserait de noter dans son carnet d'investigation dès qu'elle serait rentrée chez elle.

Elle fixa le ciel un moment et ne remarqua d'ailleurs pas les petits sortir en trombe de la maternelle et fut surprise quand sa petite sœur se jeta sur elle pour lui faire un gros câlin.

— Niniiiiiiiii! Ça va? demanda la fillette en regardant sa grande sœur avec étonnement, sentant que quelque chose la troublait.

— À vrai dire, je n'en sais rien, Miette. Il va falloir que je fasse le point sur cette journée.

— Encore une nouvelle enquête, soupira Miette avec une légère tristesse.

— Je n'en sais rien, Miette, dit Harmonie sur un ton calme, tentant de rassurer sa petite sœur. Mais ce soir on joue ensemble, c'est promis!

Les deux petites sorcières grimpèrent sur le balai et s'envolèrent en direction de la maison où elles passèrent une fin de journée agréable.

CHAPITRE 7

RÈGLEMENT
DE CONTES

E lendemain, Harmonie sentit à nouveau cette étrange atmosphère flotter dans les couloirs de l'école. La tension était presque palpable, comme si la joie et l'allégresse de la veille avaient laissé place à une colère sourde et contagieuse. Le phénomène se déclencha dès le matin dans l'escalier principal.

Harmonie déposa son balai dans son casier et grimpa les marches pour rejoindre sa classe. En chemin, elle croisa l'un de ses camarades, très essoufflé.

— Bonjour, Alcide ! Ça va, ce matin ?

— Oui, oui… lui répondit le jeune garçon distraitement, croulant sous le poids de son cartable, le visage rougi par l'effort.

Harmonie se demandait bien ce qu'il pouvait transporter. Les coutures du cartable d'Alcide étaient distendues par un objet épais et rectangulaire. Était-ce un lourd grimoire de sorcellerie ? Ou plus étonnant, des briques pour monter une muraille autour de son pupitre ?

— Tu veux que je t'aide à porter ton cartable ? proposa-t-elle, pour tenter d'en savoir plus. Il a l'air lourd !

— Non, c'est bon ! bredouilla-t-il en haletant. On est presque arriv… eeeh !

BUNK !

Alcide venait à peine de poser un pied dans la salle de classe que Rowena s'y engouffra à son tour en le bousculant au passage et sans ménagement, après être passée devant Harmonie, surprise elle aussi par la fureur de la demoiselle. Alcide, déséquilibré par le poids de son cartable, tomba face la première, les mains à plat sur le sol.

Les fermetures de son cartable, tiraillées par l'objet qu'il dissimulait, cédèrent sous son poids et un énorme livre de contes pour enfants s'échappa du cartable. Le livre poursuivit sa route en glissant sur le crâne d'Alcide, avant de s'échouer lamentablement sur le parquet de la salle de classe, dans un BOUM fracassant qui fit même sursauter la maîtresse.

— Tu ne pouvais pas faire attention ?! vociféra Rowena, plus en colère que jamais.

— Mais c'est toi qui… réussit à peine à balbutier Alcide en se relevant, ne comprenant pas la rage de sa camarade.

— En plus tu m'accuses? s'enflamma la petite sorcière rousse.

Madame Potentille se leva d'un bond de sa chaise pour se précipiter vers Alcide et l'aider à se relever, tout en le protégeant de la colère de sa petite élève.

— Rowena, calme-toi immédiatement, je te prie. Si tu n'as pas le courage de t'excuser, aie au moins la courtoisie de ne pas en rajouter. Les autres, allez vous asseoir à vos places.

— Grmbl, maugréa Rowena en rejoignant son pupitre.

Les autres élèves déjà installés étaient restés interdits face à la rapidité de l'altercation. Ils avaient à peine eu le temps de réaliser ce qu'il venait de se passer que tout était déjà fini. Harmonie osa enfin franchir le palier de la porte et s'accroupit auprès d'Alcide pour ramasser son livre de contes, tandis qu'il s'époussetait en jetant un regard noir à Rowena.

— Voilà ton livre, lui murmura Harmonie d'une voix douce, tentant d'apaiser son camarade. Il est magnifique, ajouta-t-elle.

— M... merci, marmonna-t-il en récupérant le grimoire joliment ouvragé, à la couverture en cuir gravée, avant de le replacer tant bien que mal dans son cartable déchiré.

 99

Tout le monde prit place et la journée put commencer. Les préparatifs pour la fête étant quasiment terminés, la maîtresse décida de revoir quelques leçons qui seraient utiles à ses élèves pour l'année suivante. Une lassitude s'abattit sur tous les enfants de la classe et chacun d'eux prit son manuel en silence, attendant avec impatience la récréation libératrice.

Durant la pause de midi, Harmonie tenta de capter l'attention de Pluton pour revenir sur les étranges événements de la veille, mais c'était comme s'il avait cherché à l'éviter toute la matinée. À la récréation de dix heures, elle ne l'avait trouvé nulle part, avant de le voir sortir des toilettes des garçons à la sonnerie. Était-il resté enfermé là-dedans tout le temps ?

Après le repas, Harmonie fit donc le tour de la cour pour tenter de lui parler et pour savoir s'il avait des nouvelles de son oiseau. Elle n'avait pas encore pu se pencher sur cette enquête, mais elle pourrait s'y consacrer le lendemain, vu qu'il n'y avait pas classe.

Au milieu de son investigation, Harmonie surprit Alcide en train de s'approcher de Rowena, avec son cartable déchiré sur le dos, le livre de contes encore à l'intérieur. Comptait-il se venger de l'humiliation

qu'il avait subie le matin même ? Harmonie espérait bien que non, lui qui était la gentillesse incarnée.

Il marchait d'un pas décidé vers les trois petites pestes, qui le regardaient avec un air de défi, ne bougeant pas d'un pouce de leur position. Alcide s'arrêta net, leur parla une seconde à toutes les trois (Harmonie resta à distance et ne put entendre leurs échanges), puis il se pencha sur son cartable, en sortit l'épais recueil de contes et le tendit à Rowena. Cette dernière considéra l'ouvrage quelques instants, hocha la tête en signe d'approbation et le confia à Cassandre qui le glissa dans un sac en toile qu'elle avait descendu de la classe.

Dudit sac, elle sortit trois gros sachets de cara-malices qu'elle donna à Alcide en échange de son livre. Le petit garçon récupéra les sachets garnis avec gourmandise et s'éloigna très vite en commen-çant à piocher dedans. Il passa devant Harmonie, cachée derrière une colonne, mais ne lui prêta pas la moindre attention quand elle lui adressa un signe pour l'arrêter dans sa course.

Harmonie resta bouche bée, ne comprenant rien à la situation. Elle le regarda s'éloigner à l'abri des regards indiscrets, pour dévorer son trésor en paix, lui qui connaissait pourtant le règlement par cœur.

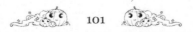

Les sucreries n'étaient pas autorisées dans la cour de récréation, la directrice l'avait rappelé la veille à peine !

Elle détourna finalement le regard et revint sur les trois petites pestes qui complotaient près de la grille séparant les cours des deux écoles, maternelle et primaire, en feuilletant avidement le livre de contes. Quel comportement très étrange ! Elles qui n'étaient jusqu'à présent que peu friandes d'histoires, du moins d'après ce qu'Harmonie se souvenait de la discussion que tous les élèves avaient eue avec la maîtresse à propos du sort d'Ilététunefoi il y avait maintenant quelques mois, voilà qu'elles semblaient désormais sensibles aux contes et légendes !

À chaque nouvelle page qu'elles tournaient, elles faisaient de grands gestes, comme pour imaginer tout le potentiel de chacun des contes. Allaient-elles se lancer dans un fabuleux récit pour le spectacle de fin d'année ? Harmonie en doutait. Elles s'en serviraient sans doute pour humilier une fois encore Pluton en le déguisant cette fois en princesse ou en chevalier maladroit.

Mais le mystère ne s'arrêta pas là car ce fut au tour de Pluton de venir à la rencontre des trois copines, avec une étrange expression sillonnant son visage. Une sorte de fierté un peu dérangeante, presque

méchante, d'après ce qu'Harmonie pouvait discerner de là où elle était.

Pluton brandit l'index et sembla menacer tour à tour chacune des trois copines, qui écarquillèrent les yeux de stupeur puis détournèrent le regard, comme prises au piège.

— Nom d'une citrouille, jura Harmonie pour elle-même. Il y a deux jours à peine, Pluton se faisait humilier sans répliquer par ces trois chipies, et voilà qu'il les menace très violemment après les avoir suivies. Mais le plus fou, c'est qu'elles ne semblent pas réagir ! Elles se laissent faire ! Qu'est-ce que tout cela veut dire ? ! Bon sang, mais qu'est-ce qui ne tourne pas rond dans cette école ?

Hélas ! la suite de la journée ne fit que soulever de nouvelles questions, sans apporter aucune réponse…

— Très bien, les enfants ! annonça Zénobie Potentille pour introduire la reprise des cours. Pour finir cette journée, nous allons faire un peu d'arts magiques ! Pour rester dans le thème qui vous est cher en ce moment, voici le sujet : vous allez illustrer votre plus beau souvenir de vacances ! Faites usage de beaucoup d'imagination et d'un petit sortilège pour les raconter en illustrations !

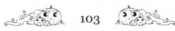

Elle longea les allées entre les pupitres et distribua de grandes feuilles blanches à chacun.

— Bien, vous voilà équipés de votre support. Désormais, vous avez le droit d'utiliser tout le matériel autour de vous, ainsi que quelques sortilèges minimes pour habiller le tout. À vous de jouer, les enfants!

Certains commencèrent à dessiner sur la feuille, tandis que d'autres se levèrent immédiatement pour dénicher les outils nécessaires à leur illustration.

— Madame Potentille? Je peux aller chercher des brindilles et des feuilles dans la cour, s'il vous plaît? Mon plus beau souvenir de vacances, c'était durant un bel automne! Je peindrai les feuilles en rouge!

— Oui, tu peux y aller! lui assura la maîtresse, fière de la prise d'initiative.

Diodore s'amusa à dessiner de nombreux poissons sur sa feuille, des algues ondulant dans les vagues et de petites cheminées crachant des bulles en série.

— Qu'est-ce que c'est, Diodore? interrogea la maîtresse incrédule?

— Mes plus belles vacances, madame! Oh, attendez! J'ai oublié le principal, dit-il en se dirigeant vers un point d'eau au fond de la classe où il remplit un verre à moitié.

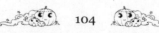

Il revint auprès de sa feuille, sortit sa baguette et traça un cercle imaginaire avec, créant un rempart de magie qui flottait à un centimètre au-dessus de son dessin. Il y versa le contenu du verre et la magie contint l'eau (l'eau et la magie ne se mélangeant pas). La maîtresse s'émerveilla alors. Le résultat avait des allures d'un hublot de sous-marin à travers lequel on pouvait admirer les fonds marins.

— Mon oncle m'a emmené à bord de son bathyscaphe l'année dernière, madame. J'ai fait de la plongée tout l'été !

— C'est magnifique, Diodore ! Félicitations !

Les enfants applaudirent avant de se remettre à l'ouvrage. Harmonie dessina toute sa famille sur les remparts d'un sinistre château, bâti sur le plus haut pic d'une montagne. Elle jeta un petit sort qui faisait tomber la neige sur l'œuvre. Elle rapporta que sa famille et elle s'étaient perdues lors d'une promenade en montagne et qu'ils avaient trouvé refuge dans l'ancien château d'un comte.

— Mais ces petites taches noires qui virevoltent autour du donjon ? De quoi s'agit-il, demanda l'institutrice.

— Les chauves-souris, madame. Nous les avons dérangées dans leur sommeil quand nous sommes entrés. Elles ont cru que nous étions là pour les

dévorer pendant la nuit! Comme dans les histoires de vampires!

Toute la classe se mit à rire aux éclats, puis madame Potentille arriva au niveau des trois copines Mirabelle, Cassandre et Rowena. Leur grande feuille était restée immaculée.

— Panne d'inspiration, mesdemoiselles?

— On n'a pas d'idée, madame, assura Cassandre.

— Ne vous souvenez-vous donc d'aucune fête joyeuse? D'aucune rencontre incroyable dans un lieu gorgé de magie? N'avez-vous jamais vogué sur un lac ou traversé une forêt d'arbres-chanteurs? Les épouvantails des routes ne vous ont jamais égaré sur des sentiers inconnus? N'avez-vous aucun souvenir avec un membre de votre famille, dont vous souhaiteriez nous faire part? Ou d'un sortilège amusant à nous montrer?

— Rien de tout ça, madame. On est complètement à sec, soupira Rowena.

— À sec de quoi, mesdemoiselles? reprit l'institutrice. D'idées ou de magie?

La question surprit de nombreux élèves dans la classe, qui échangèrent des regards incrédules. Seul Alcide osa prendre la parole à ce sujet.

— Maîtresse, on peut être à sec de magie? Je ne savais pas!

— Bien sûr, Alcide. C'est notre réserve personnelle de magie que nous utilisons pour jeter des
sorts. Et comme toute réserve, elle n'est pas illimi-
tée. Quand nous jetons des sortilèges, notre réserve
s'amenuise peu à peu. Si nous ne faisons que jeter
des sorts à tout-va, nous risquons de nous vider de
toute notre magie !

À ce moment-là, Mirabelle bâilla à s'en décro-
cher la mâchoire, surprenant toute la classe par son
manque cruel de politesse.

— Eh bien ! Il revient de loin, celui-là, ironisa
l'institutrice. Mon cours vous ennuie donc tant que
ça, mademoiselle Grolette ?

— Pardon, maîtresse ! s'excusa la fillette honteuse. Je… je n'ai pas fait exprès !

— Méfie-toi, jeune fille. Je vais te ramener en
maternelle pour que tu puisses y faire tranquillement
la sieste ! sourit l'institutrice, provoquant l'hilarité du
reste de la classe. Mais plus sérieusement, tu as l'air
réellement fatiguée. Je t'autorise donc à aller te reposer à l'infirmerie. Je te ferai un petit mot.

— Non, non. C'est bon, madame. Excusez-moi
encore, répondit la jeune fille en rougissant.

Soudain, Cassandre et Rowena basculèrent en
arrière en se tenant le crâne et en gémissant de
douleur.

— Quelque chose ne vas pas, les filles ? s'inquiéta l'institutrice.

— J'ai… j'ai très mal à la tête, madame, balbutia Cassandre, les larmes aux yeux.

— Moi aussi, renchérit Rowena, plus pâle que la grande feuille qui trônait sur son pupitre.

Harmonie avait déjà vu les trois chipies mimer des maladies imaginaires pour échapper aux leçons qui ne les intéressaient pas. Elles étaient devenues expertes en douleurs en tous genres et autres problèmes familiaux. Mais cette fois-ci, leurs expressions étaient criantes de vérité et Harmonie sut d'instinct qu'elles ne plaisantaient pas. Heureusement, madame Potentille le devina aussi. Elle écrivit un petit mot à l'attention de l'infirmière, afin qu'elle laisse ses élèves s'allonger quelque temps au calme.

— Mirabelle, accompagne tes deux amies à l'infirmerie. Je pense qu'un peu de repos te fera du bien à toi aussi, ajouta-t-elle en tendant le billet de sortie à la jeune fille.

Un silence épais s'installa dans la classe quand les trois fillettes quittèrent la salle. Personne n'aimait voir l'un de ses camarades de classe au plus mal, même celui ou celle qu'on appréciait le moins.

— Allez, les enfants ! Je suis sûre que ce n'est rien. Faites-nous de beaux dessins pour décorer la classe !

On pourra faire une belle exposition de toutes vos œuvres durant la kermesse !

Le reste de la journée se déroula sans nouveau cas de malaise. Harmonie apprit toutefois que les parents des trois petites chipies avaient été prévenus et qu'ils étaient venus chercher leurs enfants afin qu'elles se reposent chez elles.

Un nouveau fait à reporter dans son cahier d'investigation ?

— Niniiiiiiii !

Harmonie attendait depuis quelques instants devant la grille des petits, quand Miette lui sauta dessus comme tous les soirs, pour la couvrir de câlins. Son enthousiasme renouvelé chaque jour amusait beaucoup Harmonie. Elles avaient beau se quitter le matin, Miette se faisait toujours une joie de retrouver sa grande sœur en fin de journée, et avec elle des promesses de jeux et de sortilèges.

— Salut, Mimi ! Ta journée s'est bien passée ?

— Oui ! On a beaucoup joué et même que j'ai mangé plein de cara-malices, alors qu'en fait, on n'a pas vraiment le droit ! Mais il ne faut pas le dire, ajouta-t-elle en posant l'index sur sa bouche fermée.

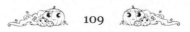

— Comment as-tu fait, alors ? Qui les avait amenés ?

— C'est le petit frère de Cassandre qui en a trouvé plein ce matin, dans la chambre de sa sœur. Il est allé fouiller dans ses affaires pendant qu'elle était dans la salle de bains. Il lui a pris un gros sac de friandises et a dit que de toute façon elle ne verrait pas la différence, parce qu'il en restait encore beaucoup ! Vraiment beaucoup ! C'était trop bon ! Il y avait même des sucres d'ogres et des choco-mabouls, ce sont mes préférés !

— Hum… un petit qui fouille dans les affaires de sa grande sœur. Ça me rappelle quelqu'un ! ironisa gentiment Harmonie.

— Je cherchais un déguisement pour faire une blague à maman ! répondit Miette en lui tirant la langue, faussement vexée.

Harmonie serra sa petite sœur dans ses bras, puis toutes les deux reprirent le chemin en sens inverse, en direction de l'école primaire. Ce soir, elles rentraient avec leur mère qui n'allait pas tarder à quitter son bureau. Elle sortait toujours plus tôt la veille d'une journée sans école.

— En tout cas, tout cela est bien étrange, reprit Harmonie. Que peut faire Cassandre avec une telle quantité de sucreries ? D'où proviennent-elles ? Et est-ce que Rowena et Mirabelle en ont autant ?

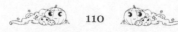

— Moi je pense bien que oui ! affirma Miette.

— Ah ? Et pourquoi cette soudaine certitude ?

— Parce que j'ai enfin trouvé une copine pour jouer au détective avec moi ! répondit Miette avec enthousiasme.

— Je suis très contente pour toi ! Qui est-ce ?

— C'est Lucia. Tu sais, celle qui habite derrière la maison du bourgmestre ! Eh ben, elle est trop sympa et même qu'on a espionné toutes les deux !

— Oh ! Et qui avez-vous espionné comme ça ?

— Pluton ! Qui n'est pas ton amoureux, même si tu le trouves très beau !

— Miette…

— Mais quoi ? C'est vrai !

— Et donc ? reprit Harmonie pour revenir au sujet qui les intéressait.

— Tout à l'heure, Pluton est allé voir les trois méchantes, durant la récréation.

— Oui, j'ai vu ça de loin.

— Lucia et moi, on était cachées derrière la murette et on a tout entendu ! Pluton, il essayait de parler avec une voix qui fait peur et il leur a dit que si elles ne lui donnaient pas chacune une partie de leurs cara-malices, il allait tout dire de leur secret !

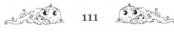

— Quoi ?! s'étonna vivement Harmonie. Mais qu'est-ce que c'est que cette histoire encore ?! Et tu ne sais pas de quel secret il parl… hey ?!

— Mamaaaaan ! s'écria joyeusement Miette en se retournant et en coupant la parole de sa grande sœur, avant de se jeter dans les bras de sa mère qui venait d'apparaître à l'entrée de la salle des professeurs.

— Bonsoir, mes petites princesses ! dit Artémissia en déposant un baiser sur la joue de chacune de ses deux filles. Êtes-vous prêtes ? C'est l'heure de rentrer jouer !

— Et de prendre des notes pour faire le bilan de toutes les choses étranges qui se passent ici, pensa Harmonie en secret.

— Bien ! Reprenons le cours des événements de la journée, s'écria Harmonie seule au milieu de sa chambre, tandis que la nuit était déjà tombée sur Pamprelune et que Miette était couchée depuis une petite heure environ. Ce matin, Alcide ramène dans son cartable un énorme recueil de contes et légendes. L'ouvrage doit valoir cher, il avait l'air très précieux et appartient sans doute à sa famille depuis plusieurs générations de sorciers.

Étonnamment, il l'a échangé contre quoi : plusieurs sacs de bonbons ! Est-il donc si gourmand au point de voler un livre pour l'échanger contre ça ? Ce serait terrible ! Il y a forcément autre chose !

Après quelques instants de réflexion, Harmonie remarqua qu'avec l'échange, Alcide avait également obtenu la cessation de toute moquerie à son encontre de la part des trois chipies, lui qui était pour elles une autre cible de choix.

— Ce que je ne comprends pas, poursuivit Harmonie en pensée, c'est ce que Rowena va faire dudit livre. Si elle lui a demandé l'ouvrage en échange d'une trêve dans les moqueries, c'est qu'elle a besoin de ce livre. Mais pour quoi faire ? Est-ce que ça a un lien avec les bonbons ? Comment en ont-elles obtenu autant et en si peu de temps ?! C'est impossible ! Aucune échoppe ne leur en aurait vendu de telles quantités ! Et ça leur aurait coûté beaucoup d'argent !

Elle se rappela ensuite le cas de Pluton. Un cas encore plus étrange que tout le reste. Jusqu'à présent, elle le trouvait très attachant, car il avait toujours été un petit garçon plein de douceur. Qu'il soit bouleversé par la perte de son oiseau l'avait émue.

Et voilà que ce même jeune garçon menaçait trois chipies qui, quelques jours plus tôt, pouvaient l'embêter des heures durant sans qu'il ne réplique quoi que ce soit. C'était complètement illogique !

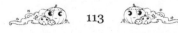

Par-dessus tout, il leur soustrayait une part de leurs friandises en les menaçant d'une curieuse révélation à propos d'un secret.

— Que va-t-il donc en faire? Il n'a jamais été surpris avec un bonbon dans la bouche à l'école! Et puis… comment peut-il savoir qu'elles cachent quelque chose? Les a-t-il espionnées?

En prononçant la question dans sa tête, la réponse lui revint en mémoire de façon évidente. Oui, il les avait espionnées pas plus tard que la veille depuis la murette de l'école maternelle et les avait même suivies on ne savait où. Mais quel était donc ce secret qu'il avait découvert?

— Est-ce que tout cela a un rapport avec la colère de Rowena? Avec leurs maux de tête à toutes les trois? Décidément, je ne comprends rien à tout ce qui se passe! Je ne suis peut-être pas une si bonne détective…

Elle s'installa à son bureau et jeta un œil à ses fiches de notes. Elle attrapa le dernier dossier qu'elle venait d'ouvrir et sut tout de suite ce qu'elle avait à faire.

— Ma véritable enquête, c'est celle-ci : découvrir où se cache Bianca, la pie voleuse. C'est pour cela que Pluton m'a engagé et pour rien d'autre. Demain, je commencerai donc mon investigation. Et si au passage je peux en apprendre plus sur cette étrange

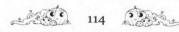

affaire à propos des cara-malices et autres sucreries, ce sera tant mieux…

Elle éteignit son globàjour, enfila son pyjama et se glissa sous ses draps.

— Demain, détective Harmonie sera prête pour l'action !

CHAPITRE 8

ROWENA DANS LES CITROUILLES

INI ? Niniiii ! Debout là-dedans ! s'époumona Miette en entrant en trombe dans la chambre de sa grande sœur.

Harmonie ouvrit les yeux avec difficulté. Le soleil venait à peine de se lever sur Pamprelune et ses reflets étaient voilés par le brouillard matinal. Une lumière douce et orangée s'immisçait sous les volets clos de la pièce.

— Miette, pourquoi me réveilles-tu si tôt ? maugréa Harmonie encore dans les vapeurs du sommeil qu'elle avait brusquement quitté. Il n'y a pas école aujourd'hui. Tu pouvais encore dormir !

Harmonie se retourna dans son lit, tapa un petit coup sec au milieu de son oreiller et cala son visage dans le petit sillon qu'elle venait d'y creuser. Mais Miette avait visiblement décidé de l'empêcher de se rendormir.

— C'est pas moi, c'est maman qui m'a demandé de te réveiller, affirma Miette en secouant l'épaule de sa grande sœur et en lui faisant plein de petits bisous bondissants sur la joue. Elle veut te parler de Rowena qui est tombée dans les citrouilles, hier soir !

— Quoi?! s'exclama Harmonie en se redressant d'un bond.

— Viens vite, ça a l'air important!

Harmonie, encore en pyjama et les cheveux hirsutes, traversa le grand salon au côté de sa petite sœur.

Une magnifique lueur rougeâtre matinale baignait la pièce et les dorures des meubles richement ouvragés brillaient de mille feux. Les lourdes bibliothèques qui croulaient sous le poids d'épais grimoires semblaient se gorger de lumière et émettaient de légers craquements. Le bois se dilatait à la chaleur du soleil et on eût dit que les meubles allaient prendre vie. Les épais tapis pourpres qui jonchaient le sol captaient eux aussi la lumière et prenaient des reflets sang et or, les faisant ressembler à une langue de lave en fusion. Les fillettes échangèrent un regard complice en repensant à leurs jeux où elles s'amusaient à passer de meuble en meuble pour ne pas toucher le sol qui était justement « de la lave ». Puis elles sortirent de leur rêverie commune en jetant un bref coup d'œil aux particules de poussières qui dansaient dans l'air.

Elles rejoignirent Artémissia qui les attendait devant la table de jardin. Elles prirent toutes les deux

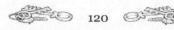

place de part et d'autre de leur mère et cette dernière jeta un petit sortilège en direction de la fenêtre de la cuisine. Tout le petit-déjeuner arriva en virevoltant depuis la cuisine et vint s'installer sur la table.

Une carafe joliment ouvragée servit un grand verre de jus de fruits à Miette, tandis que les tartines d'Harmonie se faisaient badigeonner de confiture par une cuillère très méticuleuse.

Artémissia arborait un air grave et son aînée l'interrogea très vite.

— Que s'est-il passé ? demanda Harmonie à sa maman, un peu inquiète.

— Hier soir, après être rentrées chez elles un peu plus tôt que les autres élèves, Cassandre, Mirabelle et Rowena sont parties prendre l'air dans la clairière. Tout à coup, Rowena est devenue toute blanche et s'est évanouie. Ses deux amies ont eu très peur !

— C'est terrible ! Et ensuite ?

— Mirabelle est partie chercher de l'aide, tandis que Cassandre est restée auprès de son amie. Anémone et Mortimer, les parents de Mirabelle, sont arrivés, se sont assurés que Rowena respirait bien et ont réussi à la réveiller. Ils ont ramené les trois demoiselles chez elles. Elles sont aussi faibles les unes que les autres.

— Comment l'as-tu appris ?

— Betula, la maman de Rowena, a prévenu votre maîtresse, madame Potentille, qui est venue m'avertir tôt ce matin.

— Oh !

— Harmonie, toi qui es dans leur classe, as-tu remarqué quelque chose d'inhabituel ? Quelque chose qui pourrait nous expliquer ce qu'il leur arrive ? Elles n'ont jamais présenté de tels signes de faiblesse et encore moins toutes les trois en même temps !

— Non… Elles semblaient déjà très fatiguées en classe. Un peu en colère aussi. Oh ! elles se sont gavées de cara-malices et de choco-mabouls une bonne partie de la journée, malgré tes avertissements.

— De cara-malices ? En effet, les parents des trois petites semblent en avoir trouvé d'importantes quantités, cachées dans leur chambre. Mais en principe, manger trop de friandises provoque des maux d'estomac. Pas des évanouissements. À moins qu'ils ne soient empoisonnés ou que sais-je ? As-tu une idée de leur provenance ? Pour le moment, ce qu'essayent d'expliquer les filles n'a aucun sens.

— Non. Je n'en sais rien du tout…

Harmonie se tut, un peu gênée. La sensation qu'elle éprouvait alors n'était pas agréable. Elle se perdit un instant dans ses pensées, cherchant un quelconque

réconfort dans ses souvenirs, égarant son regard dans le vaste jardin derrière la maison.

Elle aimait flâner entre les rangs de citrouilles que sa mère avait planté près de la palissade du fond. Miette et elle jouaient souvent dans les arbres-sorciers qui entremêlaient leurs branches entre eux, tissant une voûte végétale, protégeant les dormeurs du soleil trop intense. Elle passait du temps, allongée dans l'herbe, à regarder les étoiles et à écouter sa mère lui parler des constellations. La paix revint en elle, mais elle ne pouvait poursuivre son récit sur ses camarades.

— Je suis obligée de t'en dire plus, maman ? J'ai l'impression de les dénoncer de quelque chose et je me sens un peu mal à l'aise.

— Excuse-moi, ma chérie. Je ne veux pas te mettre dans une situation inconfortable, lui dit Artémissia avec un sourire chaleureux sur le visage. Mais je te rassure : des enfants qui mangent des sucreries, même à l'école, ce n'est pas très grave. Notre souci à nous, c'est de nous assurer qu'elles sont en sécurité, qu'elles vont bien. Alors si un petit détail que tu aurais perçu pouvait nous guider pour leur venir en aide, c'est important ! Nous savons que tu prends très à cœur ton nouveau rôle d'investigatrice !

— Je ne vois rien d'autre, assura Harmonie, l'esprit déjà bien embrouillé par tout ce qu'elle avait observé depuis quelques jours.

— Alors ces cara-malices seront notre première piste.

Mais Harmonie ne voulait pas en dire trop non plus, de peur que la conversation ne la mène à l'épisode où sa petite sœur et elle avaient désobéi à leurs parents en allant bien trop loin dans la forêt…

— Votre papa est déjà parti au travail, ajouta Artémissia. Moi, je vais devoir m'absenter, mais je ne serai pas loin. Pendant ce temps, j'aimerais que vous restiez toutes les deux à la maison, d'accord ? En cas de problème, envoyez Norbert ou Hildegarde me chercher.

— Tu vas où, maman ? interrogea Miette depuis son fauteuil.

— J'ai demandé à tous les instituteurs de se réunir à l'école. Nous ferons le tour du village pour nous assurer que les malaises de vos trois camarades sont des cas isolés et qu'il n'y a aucun risque de contagion. Qu'aucun autre enfant ne cache des quantités folles de cara-malices et autres sucreries.

— Entendu, dit Harmonie en se relevant. Nous jouerons toutes les deux en attendant ton retour.

Artémissia jeta une nouvelle fois un petit sortilège et la table fut débarrassée et nettoyée en un clin d'œil.

— Merci. À tout à l'heure, mes chéries. Et soyez sages, salua-t-elle en embrassant ses filles.

— Promis! lancèrent-elles à l'unisson.

Tandis que Norbert et Hildegarde vaquaient à leurs occupations dans la maison, Miette trépignait sur le pas de la porte d'entrée, surexcitée par la nouvelle que venait d'annoncer sa mère.

— C'est un nouveau mystère à résoudre, ça! proclama-t-elle théâtralement. « L'étrange cas des trois pestes Cassandre, Mirabelle et Rowena! » Tatatsaaan! Je peux t'aider, dis? Je peux? supplia-t-elle ensuite.

— Non, Miette. Il ne vaut mieux pas, soupira Harmonie songeuse, regardant Artémissia s'envoler sur son balai.

Le sourire de la petite sorcière s'effaça aussitôt de son visage et ses épaules s'affaissèrent d'un coup. Sa déception était grande. Harmonie, s'apercevant de ce changement d'attitude, s'approcha de Miette et la prit dans ses bras pour la rassurer.

— Je ne sais pas ce qu'il se passe, reprit Harmonie en caressant les cheveux de sa petite sœur, mais j'ai le sentiment que c'est assez grave. Je préfère que tu restes éloignée de tout ça en cas de problème. Tu comprends? Je ne voudrais pas qu'il t'arrive la même chose!

— Grmbl, émit Miette pour seule réponse, très contrariée en se libérant de l'étreinte de sa sœur.

Harmonie, sentant que Miette bouillonnait, proposa de vite s'habiller pour ensuite aller jouer aux pirates dans le jardin. Mais Miette lui coupa sa phrase en boudant, le sourcil froncé, les bras croisés.

— Nan. J'aime plus les pirates ! Je veux être une détective, moi ! Mais toi, tu veux pas. C'est pas juste !

Sur ces mots, Miette retourna dans la maison en bougonnant et regagna sa chambre, accompagnée de Youki. Harmonie tenta de la retenir, mais Miette s'était déjà éloignée.

Dans ces moments-là, Harmonie préférait que sa petite sœur se calme d'elle-même puis redescende de sa tour pour revenir vers elle. Ses bouderies ne duraient pas très longtemps, mais elle avait toujours besoin d'un peu de temps pour ravaler sa contrariété.

La matinée se déroula lentement et les deux sœurs ne se croisèrent que très peu dans la maison. Miette aimait montrer qu'elle n'était pas contente en faisant mine d'ignorer tout ce qui se passait autour d'elle et en ne prononçant pas un mot.

Au début, cette attitude blessait Harmonie car elle se sentait toujours coupable d'avoir fait souffrir sa petite sœur d'une manière ou d'une autre. Mais avec un à deux caprices par semaine, Harmonie avait fini par s'habituer et par comprendre comment Miette fonctionnait. Dans l'après-midi, tout serait oublié. Et heureusement pour tout le monde d'ailleurs, car la laisser dans cet état, c'était prendre le risque qu'elle jette à nouveau des sorts pendant la nuit…

Artémissia rentra à la maison pour le déjeuner et autour de la table, elle fit le bilan de son inspection à ses deux filles. Visiblement, seules les trois camarades de classe d'Harmonie avaient été touchées par cet étrange mal et possédaient autant de friandises. C'était déjà un soulagement, même si le cas des trois chipies était encore préoccupant.

Harmonie demanda si Pluton ne présentait aucun symptôme particulier, mais Artémissia lui assura que non. Elle sourit d'ailleurs en s'imaginant le cœur de son aînée s'emballer à l'évocation du nom de ce petit garçon. Elle avait bien vu à l'école qu'Harmonie passait beaucoup de temps à parler avec lui et soupçonnait une idylle naissante. Elle trouvait cela adorable et se dit que sa fille avait bien grandi.

Au silence qui suivit sa demande et au sourire complice que lui lança sa mère durant tout le reste du repas, Harmonie comprit qu'il y avait eu méprise

sur sa demande. Certes, elle appréciait beaucoup Pluton et il semblait qu'elle ne laissait pas non plus Pluton indifférent. Mais le problème qui occupait l'esprit de la petite sorcière était ailleurs : les trois copines semblaient atteintes d'une étrange maladie et Pluton les avait suivies en forêt et les avait menacées dans la cour la veille. Pire encore, il avait demandé une partie de leur récolte de friandises. Ils devaient être sacrément bien cachés ! Ou alors, il n'en avait pas obtenu autant qu'il le voulait.

Elle en était donc arrivée à la conclusion que soit il risquait lui aussi d'être touché par cet étrange mal, soit il était au moins au courant de quelque chose. Elle décida qu'après le repas, en s'assurant que sa mère resterait à la maison, elle irait fureter du côté de chez lui pour lui poser quelques questions.

Jusqu'à présent, les événements avaient joué contre elle et l'avaient retenue à la maison. Désormais, il était plus que temps qu'elle mène sa propre enquête sur le sujet !

Les parents d'Harmonie étaient rentrés tous les deux en fin d'après-midi et lui avaient donné la permission de sortir, afin qu'elle puisse jouer librement. Miette avait continué à faire la tête, mais Tibor, leur père, avait trouvé un jeu pour lui changer les idées. Harmonie avait donc quitté la maison en toute sérénité, certaine que sa petite sœur pourrait s'amuser sans elle.

Le soleil déclinait doucement quand Harmonie arriva à hauteur de la maison de la famille Folle-Avoine. La petite sorcière n'était venue qu'une fois auparavant dans ce coin du village pour célébrer l'anniversaire de son camarade de classe, Pluton. Déjà cette fois-là, elle avait été impressionnée par sa grande maison et par les hautes haies qui la dissimulaient partiellement.

Aujourd'hui encore, Harmonie fut surprise par les dimensions de la bâtisse. Deux arbres imposants sur lesquels étaient fixés des dizaines de nichoirs à oiseaux marquaient l'entrée de la maison, en accueillant les visiteurs par une cacophonie assourdissante. De nombreuses espèces de volatiles chantaient et virevoltaient tout autour des nichoirs, apportant de la nourriture aux premiers-nés ou des objets rutilants pour séduire une belle à plumes. Mais aucune trace ici d'une pie.

Les parents de Pluton étaient fascinés par les oiseaux. Son père Astor Folle-Avoine était un grand ornithologue, tandis que sa mère, Cardamome Folle-Avoine, était magico-pilote au service de l'Académie des Sorciers.

Ils s'étaient rencontrés lors d'une expédition où elle avait piloté un énorme aéronautilus – une sorte de gigantesque dirigeable enroulé sur lui-même avec tout un jeu de tentacules en guise d'hélices, appareil que seuls les plus chevronnés savent manier – pour guider un groupe de scientifiques venus étudier des espèces exotiques. Parmi les explorateurs, un petit homme un peu rêveur avait fait chavirer le cœur endurci de la jeune pilote. Depuis lors, ils avaient décidé de consacrer leur vie à la préservation des volatiles et l'oiseau était devenu l'emblème de leur famille.

Pluton avait hérité de ses parents un goût certain pour les voyages et plus particulièrement pour les véhicules volants, motorisés ou non. Harmonie se souvenait très bien de la décoration de sa chambre, faite de maquettes et d'éléments d'engins volants.

La jeune fille fouillait depuis déjà quelques minutes les haies ceinturant la maison de Pluton, quand une voix s'éleva dans son dos et la fit sursauter.

— Euh… vous cherchez quelque chose, mademoiselle?

Harmonie se retourna d'un bond, mais derrière elle, il n'y avait personne. Le trottoir était désert. Seuls les oiseaux continuaient de piailler à tue-tête, sans se préoccuper de la jeune fille qui regardait de toutes parts pour trouver qui était à l'origine de la question qui venait de la surprendre.

— Je suis là, reprit la voix.

Harmonie suivit la voix et découvrit la citrouille boîte aux lettres de la maison incrustée dans une large cavité au milieu du tronc d'un des deux grands arbres encadrant l'entrée. Elle ne l'avait pas remarquée jusque-là.

Des petites marches avaient été savamment fixées au pied de l'arbre, permettant de grimper jusqu'à la citrouille pour pouvoir envoyer des messages. Ladite citrouille se pencha un peu plus en avant et brandit l'une de ses feuilles en guise de salut. Harmonie lui adressa un sourire un peu gêné.

— Excusez-moi, bredouilla la petite sorcière. Je ne vous avais pas vue!

— Que faisiez-vous ainsi accroupie et la tête dans la haie? s'étonna la citrouille.

— J'enquête sur la disparition de Bianca, la pie de Pluton et je récoltais des indices pour comprendre

dans quelles circonstances elle avait disparu. Peut-être que ça m'aidera à la retrouver.

— Ah! C'est donc vous la jeune détective à qui mon petit Pluton a envoyé son message l'autre jour! comprit la citrouille. Son oiseau, c'est toute sa vie, reprit-elle. Il en est fou.

— À quoi ressemble-t-elle? interrogea Harmonie en sortant son petit calepin pour prendre des notes. Quand je suis venue l'année dernière, Pluton ne l'avait pas encore. Je ne l'ai jamais vue.

— Non, il ne l'a eue que très récemment. Elle est à peine sortie du nid! Bianca est une magnifique pie au plumage blanc et noir, avec d'incroyables reflets bleutés sur les ailes. Son regard pétille d'intelligence et de malice. Elle vient souvent frotter son bec contre moi en guise de salut! s'amusa la citrouille.

— Un plumage blanc et noir, dites-vous? répéta Harmonie en fronçant les sourcils, visiblement contrariée. Étrange…

— Pourquoi donc? demanda la citrouille.

— C'est que… j'ai effectivement retrouvé plusieurs plumes coincées dans la haie, mais aucune ne correspond à votre description. Par contre, il y avait de nombreuses touffes de poils prises dans les branchages…

Harmonie sortit un petit sachet en tissu de sa besace, dans lequel elle avait recueilli le précieux indice à la pince à épiler et brandit sa pièce à conviction numéro un vers la citrouille. C'était une petite touffe de poils aux reflets turquoise avec quelques taches blanches.

— Vous voyez ces couleurs et ce motif ? Je n'avais jamais rien vu de tel avant ! s'étonna la demoiselle.

— Oh, ça ! reprit la citrouille. Il s'agit sans doute de « l'autre » animal…

— Comment ça, « l'autre » ? demanda la petite détective, soudain intriguée.

La citrouille entama son explication, mais n'eut pas le temps de finir sa phrase, coupée par l'arrivée de Pluton.

— Harmonie ? Qu'est-ce que tu fais là ? demanda le jeune garçon.

— Pluton ! lâcha-t-elle, surprise. Je… je suis en train de faire ce que tu m'as demandé dimanche dernier ! J'enquête à propos de Bianca, tu te souviens ? Tu voulais que je t'aide à la retrouver !

— Ah oui, c'est vrai…

Harmonie fut très surprise. Quand il avait envoyé son message, l'angoisse semblait le tirailler. Dans la cour, il paraissait bouleversé par cette disparition. La citrouille venait d'avouer à Harmonie toute

l'importance que représentait Bianca pour le petit garçon, et voilà qu'il semblait l'avoir complètement oubliée! Pour la petite sorcière, c'était un fait étrange de plus à noter dans son carnet.

Que se passait-il? S'était-il complètement désintéressé de son animal, ou était-il réellement victime d'une amnésie passagère au point d'oublier le message qu'il avait lui-même envoyé? Elle espérait qu'il s'agissait plutôt de la deuxième solution, bien qu'elle ne fût pas plus rassurante.

— J'aurais dû te le dire, c'est vrai, reprit le petit garçon. En fait, j'ai eu une autre idée pour la retrouver. Je vais te montrer! poursuivit-il en attrapant Harmonie par la main.

— Doucement! vociféra-t-elle, surprise par la vivacité du geste.

Les deux enfants franchirent l'entrée sous les gazouillis des oiseaux, puis contournèrent la maison pour atterrir au milieu du grand jardin ceinturé lui aussi de haies. Les parents de Pluton avaient ramené de leurs voyages plusieurs essences de plantes, allant du chèvrefeuille-ardent au lointain fusain hérissé. Harmonie reconnut même les fleurs jaune doré d'un millepertui-tui dans un coin et quelques arbres fruitiers vers le fond.

Une table de jardin meublait la terrasse, accompagnée de quelques chaises-à-soie (on les appelait

ainsi car elles sécrétaient naturellement une sorte de filament duveteux, leur donnant un confort incomparable, à la manière d'une chrysalide). En son centre trônait un énorme saladier plein à ras bord de lumibilles, à faire pâlir n'importe quel collectionneur !

La plupart d'entre elles formaient une pyramide lumineuse, tandis que quelques autres virevoltaient au-dessus du tas, en suspension dans l'air et Harmonie en fut très étonnée, étant restée sur le fait qu'il n'aimait soi-disant pas ce jeu. Elle tenta timidement d'en savoir plus.

— Ce sont tes lumi-billes ? Je… je croyais que tu n'aimais pas ça et que tu n'en avais pas !

— On me les a… offertes.

— Qui ça ? Tes parents ? Ils les ont ramenées d'un voyage ? Il y en a beaucoup ! Ça a dû coûter cher…

— Non, c'est quelqu'un d'autre qui m'en a fait cadeau, lâcha mystérieusement Pluton. « Il » n'est pas loin. Je vais l'attirer par ici avec une histoire, tu vas voir…

Harmonie était tout embrouillée. Elle ne comprenait pas le sens de la dernière phrase de Pluton et cela la mettait profondément mal à l'aise. Était-ce elle qui était bête au point de ne plus comprendre ce qu'on lui disait ou Pluton disait-il des choses insensées ?

De qui parlait-il? Qui était donc ce mystérieux donateur qu'on attirait avec une histoire?

Elle regarda Pluton saisir sa baguette magique et entreprendre une petite chorégraphie du poignet qu'elle connaissait par cœur. Puis il lança un éclair de magie au milieu de la pelouse…

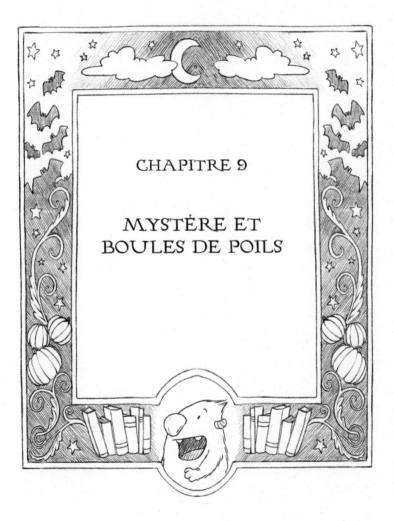

CHAPITRE 9

MYSTÈRE ET
BOULES DE POILS

LÉTÉTUNEFOI! entama Pluton. Un grand sorcier qui vivait au cœur de la mangrove…

Dans l'herbe séchée par le soleil naquirent des volutes de magie bouillonnante. Des arbres aux racines entrelacées poussèrent, baignant dans une rivière épaisse. Des lianes s'entrecroisèrent, formant une immense toile d'araignée végétale au-dessus des crocodiles imaginaires qui flottaient à la surface de l'eau stagnante. L'atmosphère de l'histoire contée était lourde et suffocante.

Des pelicans, des spatules rosées et autres hérons verts étaient perchés sur les plus hautes branches, marquant la connaissance accrue du petit garçon pour ce sujet. Une barque creusée dans un tronc était amarrée au pied d'un arbre centenaire et sur l'une de ses hautes branches, un sorcier vaudou apparut avec son chapeau haut-de-forme sur la tête et ses petites poupées à la main. Son visage était entièrement maquillé de noir et de blanc et le crâne qui y était peint fit frissonner Harmonie. Pluton contait très bien les histoires!

— Le sorcier vaudou fabriquait de petites poupées à l'effigie de ses ennemis, reprit Pluton. Ainsi, il pouvait leur jeter des sorts à dis… Ah ! Le voilà ! lança-t-il en pointant du doigt vers la haie du fond, interrompant son récit.

Harmonie sortit de l'histoire contée et regarda dans la direction indiquée par son ami. D'abord, elle ne vit rien, la haie étant cachée derrière les lianes imaginaires qui couraient d'un arbre à l'autre. Puis elle découvrit une bête à peine plus grosse qu'un chat qui bondissait au milieu du décor inventé par Pluton.

À sa silhouette ronde et à ses petites cornes, elle reconnut immédiatement l'ombre de l'animal qui leur avait fait peur à sa sœur et à elle quelques jours plus tôt au cœur de la grotte. Elle reconnut également dans son pelage le motif de la touffe de poils qu'elle avait découverte juste avant dans les buissons. Dans son esprit, les pièces du puzzle commençaient à s'assembler, mais il persistait encore quelques zones d'ombre.

— Qu'est-ce que c'est que cette drôle de bestiole ? interrogea-t-elle réellement intriguée.

— Avec les filles, on a appelé ça un kor, à cause du petit cri qu'il pousse tout le temps.

— Avec les filles ? Tu veux dire qu'elles connaissent aussi cet ani… !

— SLUUUUUUUUURP! fit le kor en aspirant allègrement le décor imaginé par Pluton, coupant Harmonie dans sa phrase.

— Mais! Que fait-il?! s'étonna cette dernière.

— CRUNCH! CHOMP! SLURP! lança le petit animal en croquant goulûment dans les troncs d'arbres imaginaires et en mâchouillant les lianes.

— Tu le vois bien, dit Pluton, il mange mon histoire! Mais ce n'est pas ça le meilleur, tu vas voir!

Le petit kor dévora les restes du décor imaginé par le petit sorcier, puis s'affala sur le sol, repu. Il se lécha les babines, ravi de ce succulent repas. Harmonie était estomaquée. Le kor se releva ensuite et se mit à vibrer de tous ses membres.

— Que lui arrive-t-il? s'inquiéta la petite sorcière.

— Il s'apprête à me remercier pour cette nouvelle histoire!

Plop! Une lumi-bille bondit de la poche ventrale du kor et atterrit dans la main tendue de Pluton, qui s'attendait visiblement à recevoir un tel présent. Il contempla le jouet durant une seconde, puis le déposa dans le saladier déjà plein, sur la table de jardin.

— Une de plus dans ma collection! lança fièrement Pluton.

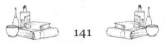

— Kor ? sembla réclamer le petit animal.

Harmonie n'en croyait pas ses yeux. Elle avait toujours cru que les lumi-billes étaient fabriquées par des maîtres verriers comme sa mère le lui avait appris des années auparavant et non pas « pondues » par d'étranges petits animaux...

Artémissia lui avait raconté l'histoire d'un sable luminescent qu'on trouvait au pied d'un lointain volcan, ce qui expliquait le coût assez élevé d'une lumi-bille.

Les maîtres verriers, toujours en recherche de nouveaux matériaux, avaient mis plein d'espoir dans ce sable luminescent qui virevoltait sur les plages en bordure du volcan et dont certaines espèces de crustacés se servaient pour construire leur habitat. Les artisans comptaient créer avec lui une nouvelle gamme d'objets de luxe : des verres à pied pour illuminer de précieux élixirs, des globàjours ornementés pour diffuser une douce lumière...

Hélas pour les artisans, le sable perdait toute solidité une fois travaillé, rendant les créations plus friables que du sucre. L'un des artisans avait alors eu l'idée d'en mouler en petites billes lumineuses pour les offrir à ses enfants. Ainsi aggloméré, le sable restait

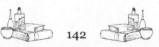

solide. Lesdits enfants avaient ensuite amené leur nouveau jouet en verre dans leur école et les petites billes lumineuses avaient connu un succès immédiat.

Les règles du « Ricoche-billes » furent créées et le jeu se popularisa très vite à travers tout le pays. L'artisan verrier créateur des lumi-billes réussit finalement à faire fortune avec cet étrange sable.

— Il… pond des lumi-billes ? s'exclama Harmonie, ne revenant même pas d'avoir prononcé cette question.

— Pas seulement ! lui répondit Pluton enjoué. Il fait apparaître ce que tu veux ! Il te suffit de le lui montrer avant !

— Comment ça ?

— Je vais t'expliquer avec une petite histoire. Ce sera plus simple et le kor aura ce qu'il réclame !

Les deux enfants s'installèrent autour de la table, dans les chaises-à-soie. Pluton poussa le saladier rempli de lumi-billes et brandit à nouveau sa baguette magique au-dessus de la table. Il murmura la formule d'Ilététunefoi, ce qui eut pour conséquence la création d'une histoire sur la table, mais en version miniature.

Le kor bondit à son tour sur une chaise-à-soie et observa avec attention l'histoire naissante, se léchant d'avance les babines.

— Tu te rappelles quand je cherchais Bianca en forêt la dernière fois ? entama Pluton.

— Oui, bien sûr… Les filles se moquaient encore de toi, à ce moment-là…

— Hum… émit Pluton, faisant mine de ne pas saisir l'ironie.

Pendant ce temps, sur la table, Harmonie contemplait la situation décrite. Elle voyait un petit personnage représentant Pluton s'agiter dans les fourrés, tandis qu'un peu plus loin trois petites silhouettes qu'elle ne connaissait que trop bien s'affairaient près d'un tronc couché.

— Quand vous êtes parties ta sœur et toi, poursuivit Pluton l'air de rien, je suis tombé nez à nez avec ce petit monstre. Mais je l'ai chassé de là pour pouvoir continuer mes recherches sans être dérangé. Il en a profité pour se diriger vers Mirabelle, Cassandre et Rowena qui avaient repris leur jeu en s'inventant tout un tas d'histoires.

Le kor, confortablement installé, admirait justement son double miniature se diriger vers les trois petites silhouettes et commencer à dévorer une partie

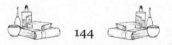

de leur décor sous-marin. Il trépigna quand les petits personnages exprimèrent la stupeur.

— Tu vois, Harmonie, continua Pluton, quand il a mangé entièrement leur décor ce soir-là, elles ont eu très peur et l'une d'entre elles a lâché un sachet de cara-malices dont elles se gavaient depuis le début de l'après-midi.

À cause de leurs cris, je suis revenu sur mes pas pour voir ce qu'il se passait. Quand j'ai vu qu'elles ne couraient aucun réel danger, je suis resté derrière un buisson à observer la scène. La suite a été très surprenante !

Harmonie continuait à fixer le récit illustré qui s'animait sous ses yeux. Tandis que le personnage de Pluton était dissimulé derrière le tronc couché à observer le fascinant spectacle, les trois petites sorcières se retenaient l'une à l'autre pour ne pas fuir en courant devant le petit animal gourmand.

Pluton expliqua que le kor s'était mis à vibrer puis leur avait offert un galet. Les trois fillettes, d'abord très surprises, avaient attrapé le caillou et avaient exprimé leur mécontentement.

Mirabelle, retrouvant ses esprits, avait entrepris de ramasser son sachet de sucreries. Le petit kor s'était approché d'elle, avait observé attentivement les petites friandises que la fillette tenait dans ses

mains, puis il avait fait apparaître un cara-malice de sa poche ventrale.

Mirabelle avait tout de suite compris. Elle avait inventé une autre petite histoire complètement décousue, mais le kor l'avait dévorée avec appétit, puis s'était remis à vibrer et de sa poche centrale avaient bondi tout un tas de nouveaux bonbons.

— C'est donc de là que viennent toutes les friandises qu'elles ont cachées dans leur chambre? en conclut Harmonie.

Cette fois, les pièces du puzzle s'assemblaient parfaitement dans sa tête. L'animal était l'élément manquant, le lien entre tous ces faits étranges.

— Je comprends tout maintenant, poursuivit-elle. C'est pour cela qu'elles avaient besoin du livre de contes d'Alcide! Avec ce recueil, elles auraient plein d'histoires à raconter au petit kor, pour qu'il continue à leur offrir des bonbons!

Comme pour illustrer le propos de la petite sorcière, le kor assis en face d'elle entreprit de dévorer l'histoire qui évoluait sur la table sous sa truffe.

— SLUUUURP! fit-il en aspirant les petits personnages et la forêt miniature qui les entourait.

Harmonie fut à nouveau surprise. Elle avait du mal à s'habituer à un tel phénomène. Le petit animal, une fois le ventre bien rempli, offrit une nouvelle

lumi-bille à Pluton. Il l'observa à la lumière du soleil déclinant comme un orfèvre analyserait la pureté d'un diamant brut, puis la plaça elle aussi dans le vase.

Pour Harmonie, il manquait encore un détail pour comprendre toute la situation. Elle avait vu Pluton espionner les filles puis les suivre, mais elle voulait en connaître la vraie raison.

— Mais… et toi dans tout ça? interrogea-t-elle un peu gênée.

— Moi? réagit Pluton en se relevant. J'ai tout de suite eu une idée en découvrant ce phénomène! Dans la cour, je leur ai dit que si elles ne voulaient pas que je révèle leur secret à tout le monde et qu'on leur confisque tous leurs cara-malices, elles devraient me donner une partie de leur récolte. Elles n'ont pas eu d'autre choix que d'accepter.

— Mais que comptais-tu faire de toutes ces sucreries? demanda Harmonie un peu déçue par la soudaine avidité de Pluton.

Le jeune garçon se tut une seconde et son regard s'égara dans le vide du jardin. Il prit un ton plus calme, voilé de tristesse.

— Je comptais échanger des poignées entières de bonbons contre toutes les lumi-billes que je pourrais récupérer et ainsi avoir de quoi attirer Bianca

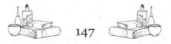

jusqu'ici. Elle adore tout ce qui brille et me chipait souvent les plus belles lumi-billes. C'est pour ça que je n'y joue pas trop. Je préfère les garder pour elle.

— C'était donc ça, ton idée! Je comprends mieux à présent… soupira Harmonie enfin rassurée des réelles intentions de son ami. Mais on ne sait rien de ces bonbons, reprit-elle. Et s'ils étaient dangereux? Les filles sont tombées malades, tu sais?

— Oui, madame Potentille est venue à la maison ce matin pour me le dire. Mais tu vois, le kor a abandonné Rowena et sa bande et a fini par me retrouver, moi! Je lui ai demandé directement des lumi-billes. Comme ça, plus de problèmes!

— Kor? interrogea le petit animal.

Pluton attrapa sa baguette magique qu'il avait laissée sur la table et se leva de sa chaise. Tout à coup, il se mit à vaciller, pris de vertiges. Il se rattrapa in extremis au bord de la table d'une main et s'affaissa lourdement dans sa chaise-à-soie en se tenant le crâne de l'autre.

— Ouh… gémit-il douloureusement.

— Que t'arrive-t-il? lui demanda Harmonie, soudain inquiète pour son ami.

— C'est rien… un coup de fatigue, sans doute.

Harmonie sut d'instinct que c'était plus grave que ça. Elle n'avait jamais vu son camarade de classe

changer si vite de couleur. Toute joie ou euphorie de l'instant précédent avait quitté son visage. Il avait mal, elle le savait. Très mal, même. Elle fit immédiatement le lien avec les maux de têtes ressentis par les trois petites pestes en classe, annonçant un évanouissement proche.

— Je vais prévenir tes parents! dit Harmonie en s'élançant vers la maison. Ils sont là?

— Non… ils ne rentrent que tard ce soir… ils sont partis en expédition et ma grande sœur n'aime pas qu'on la dérange quand elle prend son bain aux algluantes.…

— Tu veux que j'aille te chercher un verre d'eau? Que je fasse venir le docteur?

— Non, non… ça va aller…

— Kor? fit le petit animal en s'approchant de Pluton.

— Je ne vais pas pouvoir inventer d'autres histoires aujourd'hui, petite boule de poils, lui murmura Pluton, l'air de souffrir réellement.

— Kor! s'exclama l'animal déçu.

— Tu veux essayer, Harmonie? lança Pluton en se tournant vers la petite sorcière. Tu peux lui demander n'importe quoi en échange, tu verras! Tout ce que tu veux!

— Sûrement pas ! grogna-t-elle. Ça a l'air de te mettre dans le même état que les filles et ce n'est vraiment pas rassurant ! Je préfère rentrer chez moi. Il se fait tard.

— Comme tu veux, conclut Pluton en se relevant difficilement. Moi, je vais aller me reposer un peu…

Avant de quitter son ami, Harmonie l'aida à rejoindre l'intérieur de sa maison et à s'allonger sur le divan du salon. Elle cala un gros coussin derrière sa tête et le petit garçon s'endormit aussitôt. Elle le contempla un moment, souffrant avec lui de le voir ainsi. Elle osa se pencher sur lui, l'odeur de ses cheveux l'enivra un instant, puis elle se risqua à déposer un baiser sur le front du petit garçon.

— Pour guérir, murmura-t-elle.

Pluton réagit dans son sommeil puis se retourna. Harmonie quitta la pièce, traversa à nouveau le jardin en cherchant le petit kor des yeux.

Mais il avait disparu.

En longeant la haie qui entourait la maison de Pluton et après avoir salué sa citrouille boîte aux lettres perchée dans son arbre, Harmonie réfléchit à

toute vitesse. Il était plus que temps pour la jeune investigatrice de faire un bilan total de la situation…

— Aucun doute sur la silhouette, pensa-t-elle. Ce kor est le même animal que Miette et moi avons vu dans la grotte. Il a été attiré par notre histoire de pirates et a entièrement dévoré notre décor. Quand nous sommes sorties de la grotte, il a dû nous suivre pour goûter à nouveau à l'une de nos histoires et, sans le savoir, nous l'avons guidé jusqu'à Mirabelle, Cassandre et Rowena. Et il n'est sûrement pas étranger aux maux de têtes des filles et de Pluton, bien que j'en ignore encore la cause…

Harmonie, enfourchant son balai, prête à s'envoler jusqu'à chez elle, marqua une pause en écarquillant les yeux. Elle réalisa à cet instant seulement ce que ça impliquait réellement.

— Mais alors, ça veut dire… que tout est ma faute !

La sentence était tombée dans son esprit tel un glas. Un frisson glacial lui traversa l'échine et un énorme sentiment de culpabilité l'accabla soudain. À cause de leurs escapades secrètes, elles avaient créé des catastrophes !

— J'ai fait ça toute seule, se corrigea Harmonie en pensée. Miette, elle, n'y est pour rien. Elle n'a fait que me suivre. Je suis l'unique responsable. Je dois absolument trouver un moyen de… !

Harmonie ne put terminer sa phrase. Un cri déchirant retentit de la rue voisine.

— NOOOOOON! hurla une voix qu'Harmonie connaissait bien.

— Rowena! Rowena, j'arrive! hurla Harmonie à son tour en saisissant son balai et en s'envolant vers le coin de la rue. Tiens bon!

Harmonie fonça à toute allure dans la rue déserte. Elle passa devant la maison de son ancienne institutrice – durant l'affaire du mystérieux jeteur de sorts, elle avait déjà emprunté ce chemin pour mener une enquête nocturne et eut à cette occasion quelques mots avec elle – puis elle arriva une minute plus tard devant la maison de Rowena. Elle regarda à droite puis à gauche, mais rien. Aucune trace de sa camarade de classe.

Entendant des pleurs, elle leva alors la tête et découvrit la fillette rousse affalée sur le toit de sa maison. Harmonie reprit son envol, à cheval sur son balai, et survola les environs. Rowena tentait désespérément de retenir un kor qui s'écartait d'elle en glissant sur les tuiles. Un autre que celui rencontré chez Pluton, constata Harmonie en remarquant la différence de pelage de l'animal. Celui-ci était plutôt violacé.

— Que t'arrive-t-il ? s'inquiéta Harmonie, survolant la fillette en pleurs, ne comprenant rien à la situation.

— Je t'en prie… ne pars pas ! supplia Rowena en tendant les mains vers le petit animal hors de portée, sans prêter la moindre attention à Harmonie. Donne-moi encore des bonbons… Je t'en prie !

Mais l'animal ne réagit pas à la complainte de la fillette et préféra s'éloigner. Harmonie atterrit sur le toit près de sa camarade. Elle l'attrapa par le bras et l'aida à se relever pour regagner la fenêtre de sa chambre ouverte. Mais Rowena ne la remarqua même pas. Elle n'avait d'yeux que pour la petite boule de poils qui glissait le long de la gouttière, avant de regagner le trottoir d'en face où l'attendait un autre kor.

— Juste un… supplia-t-elle à nouveau. Rien qu'un dernier…

La voix de Rowena mourut dans un sanglot, et la fillette rousse fut soudain prise de spasmes incontrôlables. Harmonie la tira de toutes ses forces jusqu'à la fenêtre. Elle entra la première en prenant appui sur le bureau installé près de l'ouverture après avoir déposé son balai contre le volet. Elle saisit Rowena par les bras et l'attira à elle en lui surélevant la tête pour ne pas qu'elle se cogne contre le rebord.

Rowena se laissa complètement faire en continuant à gémir dans le vide et se retrouva au milieu de

sa chambre sans savoir comment elle y était retournée. Harmonie la guida jusqu'à son lit, puis la fit s'adosser contre le mur du fond. Elle posa sa main sur la poitrine de sa camarade pour l'aider à se calmer et à reprendre son souffle.

— Décidément, je vais devenir infirmière ! s'amusa tristement Harmonie en tentant de dédramatiser la situation. Essaie de te reposer, maintenant, ajouta-t-elle avec un ton beaucoup plus sérieux. Je vais tout faire pour que ça s'arrête, c'est promis !

Pour ne pas surprendre Betula et Rubeole Quintefeuille, les parents de Rowena, en passant par les couloirs de leur maison alors qu'il était déjà tard, Harmonie préféra s'envoler du toit puis redescendre jusqu'à la porte d'entrée, pour ensuite les prévenir du mal-être de leur fille.

Elle remonta donc sur le bureau, se glissa sur le toit puis ressaisit son balai, qu'elle enfourcha immédiatement. En vol, elle se dit qu'après l'enquête du mystérieux jeteur de sorts, elle devenait une véritable détective !

Avant d'atterrir, elle prononça le sort d'Ilététunefoi en s'imaginant la panoplie complète de la parfaite enquêtrice : un chapeau à double visière sur la tête, un grand imperméable et bien sûr, l'indispensable loupe à la main pour déceler les précieux indices.

— Détective Harmonie contre les petits monstres gloutons, pensa-t-elle une fois déguisée, tandis qu'elle avançait vers la porte d'entrée. Ça ferait une bonne histoire à raconter le soir à Miette, ça !

Mais avant que la petite sorcière n'atteigne le palier de la maison, le petit kor qui avait quitté la chambre de Rowena et qui s'engouffrait dans les taillis au bord du trottoir, se retourna en reniflant l'air, attiré par la magie qui déguisait désormais Harmonie. Mais il ne fut pas le seul. Un kor bondit sur Harmonie et commença à dévorer son imperméable.

— Hey ! protesta vivement la petite sorcière, surprise par l'attaque. Ce déguisement est à moi !

— CRUNCH ! Miam ! fit le petit animal en dévorant tout un pan de tissu imaginaire.

Un autre animal atterrit sur le balai d'Harmonie puis grimpa le long de son dos en direction de sa casquette à double visière, tandis qu'un troisième approchait dangereusement.

— Mon chapeau ! Maudites bestioles ! éructa Harmonie en se débattant.

Le kor tenta de croquer un nouveau morceau du costume de la fillette, mais celle-ci s'esquiva au bon moment et le poussa du revers de la main. Le petit animal roula par terre et atterrit au milieu de tout

un troupeau de ses congénères, puis se redressa en regardant Harmonie.

— Kor ? lança-t-il innocemment, bientôt suivi par les autres tout aussi affamés.

— Sûrement pas ! leur assura-t-elle en tapant du talon sur le sol.

La petite sorcière prit son élan et s'envola, faisant chuter les derniers animaux encore accrochés à son costume.

— Kor ! Kor ! Kor ! rugissaient-ils en poursuivant la jeune fille du mieux qu'ils le pouvaient.

— Vous ne m'aurez pas ! lança-t-elle en s'éloignant.

Se sachant suivie, Harmonie slaloma dans plusieurs rues du village pour être tout à fait sûre que les kors ne puissent retrouver sa trace. Elle passa devant les échoppes du centre du village où les commerçants commençaient à remballer leurs marchandises et à ramener les toiles qui protégeaient tant bien que mal leurs denrées de la chaleur du soleil. Elle franchit la petite place pavée, puis le pont de pierre qui enjambait la rivière opaline, et traversa ensuite le cimetière en passant devant le kiosque. Elle eut une petite pensée pour le jour de la grande révélation sur l'identité secrète du jeteur de sorts. C'était ici-même qu'elle avait conclu sa toute première affaire lors d'une mise en scène théâtrale.

Enfin, après avoir fait plusieurs détours, elle se posa sur la branche d'un arbre en face de sa maison et observa la rue alentour, guettant le moindre signe de l'arrivée des kors.

Après plusieurs minutes de silence, en ayant pris soin de regarder d'abord en l'air au cas où elle tomberait nez à nez avec une pie aux reflets bleutés sur les ailes, elle descendit de sa branche et s'approcha de sa maison, surprenant Arthur qui somnolait à moitié.

— Bonsoir, maîtresse, lança la citrouille.

— Bonsoir, Arthur.

— Je vous ai vue dans l'arbre en face. Votre enquête sur le volatile avance donc ?

— Pas vraiment. J'essayais surtout de semer une armée de drôles de petits monstres. Il faudra que je prévienne la famille de Pluton dès demain !

— Ah, les enfants et leurs jeux incroyables ! pensa alors Arthur. Très bien ! reprit-il à haute voix. Alors je vous laisse à vos filatures !

Harmonie s'envola jusqu'à sa fenêtre et se retourna une dernière fois vers la rue déserte.

— Ouf ! J'ai réussi à les semer, triompha-t-elle intérieurement. Mais pourquoi m'ont-ils attaquée ? s'interrogea-t-elle en traversant sa chambre pour déposer son balai dans le couloir. Ils préfèrent peut-être la magie toute fraîche !

Une fois son balai à sa place, elle regagna le salon où le reste de sa famille l'attendait pour manger. Heureusement, malgré les récents événements, elle avait réussi à rentrer à l'heure prévue, n'éveillant aucun soupçon ou aucune colère de la part de ses parents.

À table, Miette semblait toujours très contrariée de ne pouvoir participer au jeu de sa grande sœur. Elle aussi avait surpris Harmonie perchée dans une branche depuis la fenêtre du salon, et elle aurait bien voulu s'y accrocher aussi pour jouer avec elle. Face à elle, Harmonie semblait préoccupée et avait le regard fuyant.

— Combien sont-ils, ces petits kors ? se questionnait intérieurement Harmonie, en sentant sur elle le regard plein de reproches de sa petite sœur. Et Miette qui me fait toujours la tête… Je dois la protéger de ces petits monstres et réparer notre erreur. Mais pour ça, je vais devoir dire toute la vérité sur notre escapade dans la forêt. Quand papa et maman comprendront de quelle grotte il s'agit, ils sauront que nous avons largement dépassé le périmètre que nous étions censées ne pas franchir ! On va se faire gronder… Comment faire ?

La fatigue commença à la gagner et se manifesta par un léger mal de tête. Sa maman lui intima de se coucher tôt. Les fins d'année étaient toujours des moments épuisants pour les enfants, elle l'avait constaté depuis de nombreuses années. Il y avait la fatigue accumulée de toute une année scolaire, mélangée à l'excitation des vacances qui approchaient à grands pas. À cela s'ajoutaient les jours à rallonge et la chaleur épaisse qui envahissait les rues, offrant un sommeil peu réparateur.

De retour dans sa chambre et en fermant ses volets, Harmonie espéra secrètement que personne d'autre ne se ferait attaquer cette nuit.

La nuit était déjà bien avancée quand le sommeil commença à gagner tous les petits kors en faction dans la chambre de la fillette profondément endormie. Ils avaient patienté des heures, cachés dans les haies à l'abri des regards, avant de sentir au loin cette nouvelle histoire, puis de rejoindre la pièce haut perchée pour dévorer l'histoire qui leur était contée.

Après le récit, les dernières volutes de magie furent aspirées par le plus gros kor du troupeau. Les kors avaient adoré les parfums subtils de cette nouvelle aventure. Les embruns qui y étaient décrits

donnaient à l'ensemble une touche salée qui soutenait l'ensemble des saveurs.

Ils quittèrent la pièce en bondissant par l'une des fenêtres ouvertes, traversèrent le balcon depuis lequel ils dominaient toute la ville, puis glissèrent le long des branches et des tuyaux qui ceinturaient la tour. Arrivés à son pied, les kors franchirent la haie à l'arrière du jardin puis bondirent en direction des bois et disparurent dans la nuit.

Miette se retourna une fois dans son lit et se rendormit aussitôt, ignorant ce qui venait de se passer dans sa chambre...

CHAPITRE 10

DES CADEAUX
PARTOUT!

C'EST grave, docteur? interrogea Cardamome Folle-Avoine, la mère de Pluton, très inquiète pour son fils. Nous sommes revenus de voyage dans la nuit et avons trouvé notre fils dans cet état! Sa sœur s'était endormie dans son bain et n'a rien vu de ce qui se passait.

— À dire vrai, je n'en sais rien. Cela dépasse mes compétences! répondit le vieux médecin décontenancé. Je ne reconnais aucun de ses symptômes et je n'ai jamais traité de cas similaires. Qu'en est-il des autres, Sophia? interrogea-t-il en se tournant vers sa secrétaire qui l'avait accompagné jusque-là.

— Ils présentent hélas tous les mêmes symptômes, docteur Galifrey.

— Nous faisons face à une épidémie sans précédent, conclut le vieil homme. La situation est grave. Nous devons avertir tout le village.

— Je préviens immédiatement monsieur Icabote Fosse, notre bourgmestre, annonça sa secrétaire en quittant la chambre de l'enfant.

Le docteur Galifrey avait ouvert la porte de son bureau aux aurores, respirant avec bonheur les parfums matinaux des lilas en fleur qu'il avait fait planter tout autour de son cabinet de consultations. Les petites gouttelettes de rosée scintillaient sur les feuilles comme autant de petits diamants.

Sophia, sa secrétaire, était arrivée quelques instants plus tard et avait pris place derrière son grand bureau en chêne pourpre. Dans son dos sommeillaient une quinzaine de petites citrouilles boîtes aux lettres, toutes prêtes à recevoir le moindre message d'un villageois sollicitant l'avis d'un médecin. Mais elles étaient encore éteintes. Aucune urgence n'était à signaler.

D'après le registre, Sophia constata qu'il n'y avait aucune consultation de prévue ce matin non plus. La matinée allait être calme. Tous les villageois étaient en parfaite santé, leurs vaccins étaient à jour et le soleil redonnait de l'énergie à tout le monde.

— Nous allons pouvoir faire un peu de tri dans nos dossiers, Sophia ! avait suggéré le docteur Galifrey en chantonnant.

— Tout à fait, docteur. La salle des archives en a bien besoin !

Mais alors que Sophia venait à peine de quitter son siège, vrouf! Toutes les citrouilles s'étaient allumées d'un seul coup.

— Message! Message! Message! avaient-elles toutes crié dans un brouhaha assourdissant.

Le docteur Galifrey avait sommé sa secrétaire de relever toutes les adresses et d'organiser son parcours des consultations. Pour ne pas perdre de temps, il était parti en trombe rejoindre la maison du premier enfant sur la liste, et avait demandé à Sophia de l'y rejoindre avec la feuille de route prête. À chaque fois, la description du problème était la même : des parents, surpris de ne pas voir leurs enfants descendre pour le petit-déjeuner, les avaient trouvés dans leur chambre l'air hagard, la peau presque transparente, le regard dans le vide, amorphes. Ils ne parlaient plus, ne bougeaient qu'à peine et leurs yeux étaient bouffis par le manque de sommeil.

Une fois arrivé devant la maison de la famille Folle-Avoine, accueilli par la cacophonie des oiseaux qui nichaient à l'entrée, le docteur Galifrey avait été conduit dans la chambre du petit malade par ses parents.

La pièce était baignée d'une douce lumière, faisant briller toutes les structures en fer des engins volants suspendus au plafond du jeune garçon. Le lit lui-même était un dirigeable coupé en deux et le docteur

avait été fasciné par l'ingéniosité avec laquelle il avait été construit. Il avait aidé l'enfant à se redresser et avait commencé sa consultation. Sophia l'avait rejoint peu de temps après avec une liste longue comme le bras d'enfants malades.

Finalement, la journée allait être chargée…

Au même instant, un peu plus loin dans le village, Harmonie frappa à la porte de la chambre de sa petite sœur. Elle venait tout juste de se lever et, surprise de ne pas avoir reçu le câlin matinal de la part de Miette, elle avait décidé d'aller à sa rencontre pour que toutes les deux se réconcilient enfin et pour s'assurer que cette contrariété n'avait pas été la cause de nouvelles catastrophes.

— Toc ! Toc !

— Miette ! Debout là-dedans ! C'est l'heure du petit-déjeuner. Il y a école aujourd'hui ! Miette ? Tu m'entends ? s'inquiéta-t-elle soudainement. Pourquoi ta porte est fermée à clef ? Tu sais très bien que papa et maman ne veulent pas que tu t'enfermes ! Tu m'ouvres, s'il te plaît ?

— NAN ! répondit une petite voix paniquée derrière la porte.

— Comment ça, non?! Attends un peu.

Harmonie sortit sa baguette magique et décrivit un petit cercle autour de la serrure, puis elle la tapota trois fois. Clic! Le loquet s'ouvrit immédiatement. Harmonie saisit la poignée et commença à soulever la porte.

— Non! N'entre pas! cria Miette.

— Qu'y a-t-il? Tu me fais encore la tê… TEUH! Nom d'une citrouille! s'exclama-t-elle.

Harmonie n'en crut pas ses yeux. Le sol de la chambre de Miette était tapissé de cadeaux en tous genres : ici une montagne de cara-malices et de choco-mabouls, là de nombreuses peluches d'animaux fabuleux, plus loin des gâteaux empilés sur les meubles. Des lumi-billes de toutes les couleurs flottaient également un peu partout dans la pièce. On eut dit qu'un magasin de jouets et une pâtisserie avaient soudain fusionné. Le paradis pour les enfants gourmands et joueurs! pensa fugacement Harmonie.

— Tu ne diras rien à papa et maman, hein? supplia Miette, un peu honteuse d'avoir tous ces trésors dans sa chambre.

— Est-ce que ça va? Tu n'as rien? s'inquiéta alors sa grande sœur, ne sachant que trop qui était à l'origine de toutes ces offrandes et ayant constaté les

conséquences sur la santé de ceux qui leur contaient des histoires.

— J'ai un peu mal au ventre, répondit sa petite sœur en posant une main au niveau de son estomac. J'ai dû manger un peu trop de choco-mabouls…

— Que s'est-il passé? Tu te souviens de quelque chose? demanda Harmonie, de l'urgence dans la voix, en tenant sa petite sœur par les épaules.

Miette se détacha de l'étreinte et grimpa sur son lit pour illustrer ce dont elle se souvenait. Elle se positionna au bord du lit avec une main en guise de visière contre l'arcade sourcilière, tel un capitaine à la proue de son navire guettant les horizons lointains.

— J'ai rêvé de petits animaux tout rigolos et tout poilus, cette nuit! dit-elle en englobant toute la pièce d'un grand geste du bras, comme pour symboliser une assistance attentive. Ils étaient tous là à écouter mes histoires et ils adoraient les aventures de la Capitaine Miette! reprit-elle, fièrement. Ils « dévoraient » mes histoires!

Cela confirmait les peurs d'Harmonie. Elle se laissa tomber lourdement dans la chaise près de la table de nuit de sa petite sœur, comprenant ce qui venait sans doute de se passer.

— Nom d'une citrouille, c'est vrai… Tu as entendu la formule d'Ilététunefoi plusieurs fois et comme tu

étais en colère contre moi hier soir, tes pouvoirs nocturnes se sont encore manifestés. On avait pourtant fait attention à ce que cela n'arrive plus, ajouta-t-elle en tournant la tête vers le tubapapote scellé qui dépassait du mur du fond de la chambre.

En effet, depuis la découverte des pouvoirs nocturnes de Miette qui, semblait-il, ne se déclaraient que durant ses accès de colère ou ses franches contrariétés, ses parents et sa grande sœur avaient tout fait pour l'isoler un maximum des formules magiques qu'ils prononçaient tout au long de la journée. Quand Miette boudait dans son coin, le reste de sa famille ne faisait pas appel à la magie pour la distraire ou tenter de la calmer. Ils se contentaient de douces étreintes et de propos rassurants. Ce qu'elle préférait de toute façon.

Aussi, tous les trois prenaient soin de jeter des sorts avant que Miette n'entre dans la pièce ou bien dès qu'elle en était sortie et, quand ils ne pouvaient faire autrement que de le faire en sa présence, ils lui tournaient le dos pour ne pas lui montrer le geste de la baguette qui accompagnait la formule.

Car c'était là l'autre mystère qui enveloppait la magie nocturne de Miette : elle pouvait guider sa

magie vers une cible sans baguette magique ! Tout le monde savait que c'était possible, mais il y avait peu d'intérêt à le faire, car l'effet en était plus « brut », moins précis.

Le visage de Mirabelle, la chambre de Cassandre (ainsi que son chat) et la plante grimpante de Rowena en avaient pourtant subi les conséquences ...

— Ce qui s'est passé cette nuit est dangereux, Miette. Il faut que tu me promettes de ne plus raconter d'histoires aux petits kors, c'est d'accord ? Ils vont te faire du mal, comme ils l'ont fait aux autres.

— Mais ! Ils ont adoré mes histoires et ils m'ont fait plein de cadeaux alors que je n'avais rien demandé ! Regarde ! dit-elle en plongeant dans sa colline de nouvelles peluches. Pis de toute façon, je n'ai pas fait exprès !

— Nous devons tout jeter ! dit Harmonie en commençant à réunir par magie les dizaines de bonbons et de friandises empilés çà et là dans la pièce.

— NON ! s'écria Miette en colère. C'est MES bonbons ! Ils ne sont pas à toi, d'abord !

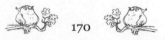

Miette se jeta sur sa grande sœur et lui ouvrit de force les bras, faisant tomber tous les bonbons qu'Harmonie avait déjà réunis.

— Miette! Arrête! Qu'est-ce que tu fais?!

— T'es rien qu'une jalouse parce que toi, t'en as pas eu!

— Tu dis n'importe quoi! vociféra Harmonie, avant de ravaler sa colère naissante et de reprendre un ton plus calme. Miette, poursuivit-elle doucement, la colère est l'un des symptômes qui précèdent l'étrange état de vide qu'on a constaté chez les filles. J'ai vu Rowena se mettre en colère pour une chose ridicule. Même Pluton, au moment où toi et ta copine l'avez espionné, semblait très remonté. Ce que tu ressens en ce moment, c'est à cause de ces petits animaux! Ils sont dangereux!

— Même pas vrai! Tu mens! rugit la cadette des petites sorcières. Et puis Rowena, elle ne fait rien qu'à m'embêter! Alors c'est bien fait pour elle!

— C'est très méchant, ça! gronda Harmonie en fronçant les sourcils. Retire immédiatement ce que tu viens de dire!

— NAN! Toi aussi, t'es méchante! Va-t'en! Je veux pas jouer avec toi et t'as pas le droit de toucher mes cadeaux! éructa Miette en poussant sa sœur

de toutes ses forces en direction de la porte de sa chambre.

Voyant que Miette était bien trop en colère pour entendre raison, Harmonie se laissa pousser vers la sortie sans manifester. Elle tourna la tête une dernière fois pour voir sa petite sœur lui tirer méchamment la langue. Pour Miette, c'était le geste qui montrait le plus son mécontentement. Cette dernière claqua violemment la porte et referma son verrou.

Harmonie resta plantée là durant quelques secondes, puis ses épaules s'affaissèrent et elle se résigna à redescendre l'escalier en colimaçon pour arriver dans le couloir où l'attendait Youki, tout content. Elle s'installa au côté du gros animal et lui fit des grattouilles. C'était un bon moyen pour faire le point sur les récents événements et trouver la meilleure chose à faire ensuite. Il était plus que temps de retrouver ses parents pour leur avouer la vérité et tout dire à propos de la chambre de Miette. Sa petite sœur était en danger. C'était cela le plus important.

Harmonie quitta donc l'animal et marcha en direction du salon, bien décidée à tout avouer de son secret à ses parents et ce, malgré les conséquences.

Mais il n'y avait personne.

Le jardin et la verrière étaient vides également. Harmonie descendit dans l'atelier de son père au sous-sol, mais là encore aucune trace de ses parents.

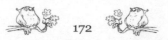

Elle remonta l'escalier et croisa le chemin de Norbert, venu faire un peu de ménage dans la cuisine.

— Où sont papa et maman ? interrogea la petite sorcière. Tu les as vus partir ?

— Oui. Ce matin, très tôt, avant que vous ne vous leviez toutes les deux. Un voisin est venu les chercher pour une réunion exceptionnelle au cimetière. Ça avait l'air important. Ils ont hésité un moment à vous avertir, mais ils ont finalement décidé de vous laisser dormir, estimant que vous sauriez vous débrouiller pour le départ à l'école. Regarde dans la cage à messages, il y a un petit mot de ta maman !

— Oh, oui ! Merci, Norbert, dit Harmonie en approchant d'une petite cage à oiseaux dans laquelle virevoltait une grue en papier plié entourée de volutes bleutées.

La fillette attrapa le volatile de papier, le déplia et reconnut effectivement l'écriture de sa mère, lui donnant quelques consignes pour un départ à l'école en toute autonomie. Harmonie ne pourrait révéler son secret que plus tard. À moins qu'elle ne trouve une solution pour cacher tous les cadeaux dans la chambre de Miette d'ici à ce que ses parents ne rentrent à la maison.

Elle retourna dans sa chambre pour s'habiller en vitesse et préparer son cartable (bien qu'elle n'en ait plus tellement besoin en cette fin d'année) et remonta

l'escalier en direction de la chambre de Miette, fermement décidée à lui faire retrouver la raison. Norbert, quant à lui, attrapa un chiffon et entreprit de lustrer les cuivres de la cuisine. Il en aurait pour la journée.

Autour du kiosque, la foule grondait.

Tibor et Artémissia étaient arrivés quelques instants plus tôt et se faisaient désormais bousculer par les retardataires qui s'agglutinaient les uns aux autres pour apercevoir le bourgmestre appuyé sur l'une des balustrades du kiosque. Tibor leva les yeux une seconde sur le toit du petit édifice au centre du cimetière et sourit doucement en repensant à la mise en scène d'Harmonie et à ses incroyables révélations sur Miette.

Artémissia capta l'imperceptible mouvement de tête de son mari et sut tout de suite à quoi il pensait. Ce jour-là, elle avait éprouvé une immense fierté pour sa fille, capable d'affronter une foule entière pour laver son honneur et pour prouver son innocence.

Les raclements de gorge du bourgmestre les ramenèrent tous les deux à l'instant présent.

— Calmez-vous, mes amis. S'il vous plaît, calmez-vous ! lança monsieur Icabote Fosse à son assemblée

inquiète, dont chaque membre voulait prendre la parole. Un à la fois ! Un à la fois !

— Ma petite fille, monsieur le bourgmestre. Si enjouée, si souriante ! entama une maman au premier rang. Ce n'est plus qu'une enveloppe vide ! Elle a le regard vitreux, les yeux dans le vague. Elle ne veut rien avaler. Je suis démunie !

— Mon fils est dans le même état, poursuivit un papa en pleurs au milieu du groupe. Il refuse de lire, de se nourrir, ou même de jouer. Il ne bouge pas de son lit ! En fait, c'est comme s'il ne nous voyait même pas !

— Mes deux enfants ont été touchés ! aboya un autre.

— Ma fille !

— Mes jumeaux !

— Nous sommes face à une situation de crise, s'alarma le docteur Galifrey en montant dans le kiosque, près du bourgmestre. C'est indéniable. Que pouvons-nous faire ?

— Il faut mettre le village en quarantaine, annonça le bourgmestre. Et prévenir l'Académie de ce cas exceptionnel. Nous n'avons jamais eu à affronter une telle situation, alors essayons de ne pas céder à la panique. L'école est fermée jusqu'à nouvel ordre. Toutefois, nous utiliserons la salle des sortilèges pour

y installer des lits de fortune et y réunir tous les enfants malades.

— À ce propos, poursuivit le docteur en se tournant vers l'assemblée, je n'ai pas eu le temps de faire le tour du village. Est-ce que TOUS les enfants sont touchés par la maladie ?

Tibor et Artémissia, jusque-là un peu en retrait, se tendirent soudain, se tournèrent l'un face à l'autre en écarquillant les yeux de stupeur et s'écrièrent d'une même voix :

— LES FILLES !

CHAPITRE 11

UN MENSONGE
DÉVOILÉ

IBOR et Artémissia traversèrent le village comme jamais ils ne l'avaient fait auparavant, volant à toute vitesse, manquant plusieurs fois de s'accrocher dans les branches les plus hautes des arbres ou de percuter un vol de chauve-souris ou la façade d'une maison voisine.

Enfin, ils arrivèrent devant leur maison et découvrirent Harmonie, son cartable sur le dos, assise sur les marches de l'entrée, le visage soutenu par les poings, le regard dans le vide, immobile. Arthur, la citrouille boîte aux lettres, l'observait avec inquiétude.

— Harmonie ! Non ! hurla Artémissia, terrorisée de voir sa fille victime elle aussi de cette étrange maladie.

Mais Harmonie leva immédiatement les yeux vers ses parents, abasourdie de les voir dans cet état d'affolement. Artémissia sauta du balai avant même d'avoir atteint le sol et se précipita à sa rencontre, pour la serrer fort dans ses bras.

— Ma belle ! Tu n'as rien !

— Maman ! Tu me serres trop fort !

— Oh ! Pardon, Harmonie, s'excusa Artémissia. Mais je suis tellement contente de voir que tu vas bien. J'étais folle d'inquiétude pour toi ! As-tu vu Miette ce matin ?

— Oui. Elle va très bien. Ne t'inquiète pas. Mais là, elle boude encore dans sa chambre et refuse d'en sortir pour aller à l'école. Il va falloir attendre encore un peu avant qu'elle ne redescende.

— Peu importe, poursuivit Artémissia. L'école est fermée jusqu'à nouvel ordre et est réquisitionnée par monsieur le bourgmestre.

— Pourquoi ? demanda Harmonie.

— Tous les enfants du village sont atteints de l'étrange maladie qui a déjà touché Rowena et ses amies, enchaîna Tibor. Nous allons les réunir dans la salle des sortilèges et tenter de comprendre ce qui leur arrive. La situation est très préoccupante.

— Nous allons devoir nous absenter, poursuivit Artémissia. Ton père va faire un rapport de la situation auprès de l'Académie et moi, en tant que directrice de l'école, je vais devoir organiser l'accueil de tous les enfants dans l'établissement. Mais je veux que vous restiez là pour ne pas être exposées à vos camarades malades. Tu comprends ?

— Oui, bien sûr, murmura Harmonie en baissant la tête, honteuse d'avoir créé une situation si catastrophique.

— Soyez bien sages toutes les deux en attendant notre retour et surtout, restez bien enfermées dans la maison, intima Tibor à son aînée. Je reviendrai très vite. J'utiliserai un portaillexpress pour ne pas perdre de temps.

— D'accord, papa.

Après avoir réuni quelques affaires, Tibor et Artémissia embrassèrent une dernière fois Harmonie et se dirigèrent vers l'entrée de la maison pour partir chacun de leur côté. Avant qu'ils ne décollent, Harmonie les retint d'un geste de la main.

— Euh… attendez, entama-t-elle, paniquée à l'idée de tout révéler.

— Qu'y a-t-il ? s'inquiéta Artémissia en lisant la peur et la honte sur le visage de sa fille.

Le mal était fait. Harmonie avait amorcé son récit, elle ne pouvait désormais plus reculer. Elle prit une grande inspiration, releva la tête, croisa le regard de sa mère puis de son père et exposa ce qui lui pesait sur le cœur.

— Voilà… je crois que je connais la cause de la maladie qui a contaminé les enfants du village…

— Comment ?! s'étonna Artémissia.

— Redis-nous ça ? surenchérit Tibor.

Harmonie et ses parents regagnèrent le salon et prirent place dans les fauteuils. La fillette s'installa dans le canapé face à ses parents et leur expliqua toute l'histoire depuis le début…

Cela faisait bien une bonne heure que Miette boudait dans sa chambre, encore en pyjama, à manger quelques pâtisseries qui jonchaient son petit bureau et à se demander quand sa grande sœur reviendrait enfin pour l'aider à préparer son cartable.

Sa colère était désormais retombée et Miette s'ennuyait ferme. Pire encore, elle était un peu paniquée face à tous les cadeaux qui décoraient maintenant sa chambre. Les peluches et les jouets en tous genres, elles pourrait certainement les garder, mais qu'en était-il des bonbons et des gâteaux ? Que diraient ses parents quand ils découvriraient ce bazar ? Arriverait-elle à les convaincre qu'elle n'avait pas fait exprès ? Elle tenta d'en cacher le plus possible sous son lit et dans son coffre, mais il en restait encore beaucoup trop. Alors, elle finit par renoncer.

Pour s'occuper ensuite, elle commença une partie de Ricoche-billes avec toutes les lumi-billes qu'elle avait reçues en offrandes. Mais il fallait bien avouer

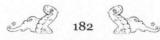

qu'y jouer seule était nettement moins amusant et surtout, elle n'était pas très douée. Sa bille maîtresse tiqua une bille bleutée, qui rebondit dans un angle inattendu en se dirigeant vers sa fenêtre ouverte. La bille arriva dehors et se stabilisa. Miette accourut à sa suite, ouvrit grand la porte-fenêtre de son balcon et tenta de saisir la lumi-bille qui voletait à un mètre à peine de son petit bras tendu.

Elle fut distraite par un mouvement furtif un peu plus bas et manqua de tomber en avant. Mais elle retrouva l'équilibre et découvrit que le mouvement qu'elle avait capté était en fait dû à ses parents qui venaient tout juste d'atterrir devant la porte d'entrée de la maison en faisant face à Harmonie.

— Oh, non! Elle va tout leur dire, pensa-t-elle alors. Vite! Il faut que je me cache!

Elle bondit dans sa chambre, s'habilla en vitesse, ouvrit sa porte puis se glissa furtivement dans l'escalier. Elle connaissait mille et une cachettes dans la maison. Durant les parties de cache-sorcières, c'était toujours elle la plus forte.

Au pied de l'escalier, tandis que Youki l'accueillait avec enthousiasme, elle découvrit sa sœur et ses parents se diriger vers le salon. Elle s'approcha à pas feutrés mais garda ses distances pour ne pas être vue. Youki la suivit de près et se cacha aussi.

Quand sa grande sœur commença son récit, Miette comprit qu'elle et Harmonie allaient avoir de gros ennuis. À la fin de l'histoire, Miette déciderait comment agir. En attendant, tout comme ses parents, elle écouta attentivement Harmonie conter toute l'histoire qui commençait par leur exploration détaillée de la forêt...

— Tu penses donc que ce sont ces petits monstres qui auraient rendu les enfants malades? Qu'ils auraient aspiré leur magie? demanda Artémissia après avoir laissé sa fille terminer son récit.

— Oui. Je crois que c'est à cause des choses qu'ils leur donnaient tout le temps. J'ai l'impression que ça les empoisonne, ou quelque chose comme ça. Ils peuvent faire des lumi-billes, des cara-malices, des jouets... Quand j'ai vu Rowena hier soir, elle en réclamait encore et encore!

— Je n'avais jamais entendu parler de pareils animaux, avoua Artémissia, sans douter toutefois des propos de sa fille.

— Ce monde nous réserve encore plein de surprises, s'amusa une seconde Tibor, assez fasciné par ce qu'il venait d'entendre.

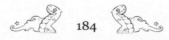

Artémissia s'affala de tout son poids dans son fauteuil, n'en revenant pas d'une telle aventure et ne sachant comment réagir. Elle était face à un dilemme : devait-elle gronder sa fille pour la faute commise ou la remercier pour l'avoir mise sur une piste très importante à propos de l'étrange maladie ?

Harmonie n'était pas du genre à mentir. Elle avait prouvé par le passé qu'elle disait la vérité, aussi absurde ou incongrue fût-elle. De plus, elle avait avoué qu'elle avait outrepassé les règles établies, ce qui ne faisait qu'accentuer son honnêteté.

Depuis l'autre pièce, Miette et Youki écoutaient tout cela avec attention. Miette tremblait de peur, envisageant de nombreux scénarios quant à la réaction de ses parents. Quelle sentence allait tomber ? Les punitions avaient toujours été raisonnables et adaptées aux méfaits, mais Harmonie et elle n'avaient jamais non plus autant désobéi à leurs consignes. La situation était inédite. Miette n'avait donc pas la moindre idée de la façon dont ils allaient réagir.

— Bon, reprenons les choses dans l'ordre, entama Artémissia en se redressant : Miette et toi, vous nous avez désobéi en vous éloignant autant de la maison et nous ne sommes pas contents. De plus, ça a provoqué des catastrophes. Qu'as-tu à dire pour ta défense, jeune fille ?

— Je… C'est entièrement ma faute, maman, s'excusa Harmonie au bord des larmes. Miette n'y est pour rien, elle n'a fait que me suivre. C'est moi qui suis responsable, c'est moi seule qu'il faut punir.

— C'est très honnête de ta part d'avouer cela et c'est une attitude déjà plus responsable que votre promenade dans je ne sais quelle grotte.

— Pour nous, l'incident est donc clos, poursuivit Tibor face à sa fille qui releva la tête vers lui, incrédule. Ta mère et moi pensons que tu as parfaitement compris la leçon. C'est pour vous protéger toutes les deux que ta maman et moi établissons certaines règles, tu comprends ? Ce n'est pas pour vous empêcher de faire quoi que ce soit, mais bien pour vous permettre de faire tout ce que vous voulez en toute sécurité.

— Je sais, papa. Je ne voulais pas vous désobéir ni faire quelque chose de dangereux.

— Nous le savons bien, reprit Artémissia. En attendant, nous te demanderons de rester à la maison, le temps que nous trouvions une solution au problème « kors ». C'est plus prudent.

— Oui, maman.

— Tu peux quitter la pièce maintenant si tu veux.

Encore accablée de honte, Harmonie se leva en retenant ses larmes. Arrivée dans l'embrasure de la

porte, elle se retourna une dernière fois et s'excusa encore. Puis elle traversa le couloir en sanglotant, et rejoignit sa chambre par pudeur. Elle passa devant Miette et Youki dissimulés derrière une armoire sans même les remarquer.

— Si Harmonie nous a bien dit la vérité, commenta Tibor en regardant à travers la fenêtre l'air un peu démuni, le problème est plus vaste que nous le pensions.

— Nous devons réagir vite avant que cela n'empire, poursuivit Artémissia.

— Tu as raison. Je vais de ce pas à l'Académie. Le Grand Conseil va devoir prendre une décision à propos de ces kors et je suis certain que Maître Flamélio voudra les rencontrer d'abord.

Tibor sortit sa baguette magique et traça dans le vide devant lui un grand cercle lumineux. Les portail-lexpress étaient des passages rapides d'un lieu à un autre, mais il ne fallait les utiliser qu'en cas de réelle urgence. Ce sortilège pouvait présenter quelques dangers car il nécessitait une perte de contrôle totale et une confiance absolue dans la magie.

— Fais vite, lui intima sa femme. Je reste à la maison pour garder les filles le temps que tu reviennes, mais je vais avoir beaucoup à faire à l'école.

— Je ne serai pas long, c'est promis. Quand j'aurai fini, je viendrai prendre le relais. Une fois à la grotte, peut-être trouverons-nous le moyen de les chasser de la montagne pour éviter une nouvelle catastrophe !

Tibor embrassa sa femme et s'engouffra dans le portaillexpress. Il fut immédiatement projeté à plusieurs kilomètres de là, dans la salle des portes de la Grande Académie des Sorciers et se dépêcha de réunir ses pairs pour leur faire part de la situation…

Miette, qui n'avait rien perdu de la conversation entre ses parents, éprouva une colère soudaine envers son père après avoir entendu ses projets à l'encontre des kors. Elle quitta sa cachette et se pencha discrètement pour observer sa mère.

Artémissia s'était installée au bureau dans l'angle de la pièce et commençait à prendre des notes. L'accueil de centaines d'enfants allait lui demander une longue préparation pour anticiper tous les problèmes et toutes les questions. Harmonie, elle, s'était enfermée dans sa chambre. Il faudrait un moment avant qu'elle n'en sorte. Miette était donc totalement libre de ses mouvements.

Elle fit un signe de l'index à Youki pour l'inviter à la suivre et tous les deux grimpèrent dans la chambre de la petite sorcière.

— Tu as entendu ça, Youki ? Ils vont faire du mal aux petits kors ! On doit les défendre ! dit Miette, très déterminée.

— Grou ! acquiesça Youki.

Miette ouvrit en grand sa porte-fenêtre, puis revint auprès de son coffre où elle récupéra la carte de la forêt, afin de retrouver le chemin de la grotte. Elle attrapa également les sacoches qui avait servi à transporter leur pique-nique quelques jours plus tôt et les rattacha autour du corps rond de Youki. Elles étaient vides, mais Miette avait une autre idée en tête…

Une fois le dragon paré, Miette passa une jambe par-dessus la tête de l'animal et le chevaucha. Elle plaça un pied dans chaque sacoche, ne risquant pas de glisser de l'animal.

— Allez, mon gros ! Les kors ont besoin de notre aide ! Nous devons y aller tout de suite !

L'animal prit un peu d'élan, déploya ses ailes comme il put malgré la présence de l'enfant sur son dos puis fonça en direction de la porte-fenêtre ouverte. Il bondit sur la rambarde et s'envola. Miette eut un frisson dans le ventre, mais finit par reprendre

le contrôle et pointa du doigt vers le pied de la montagne.

— Direction la grotte !

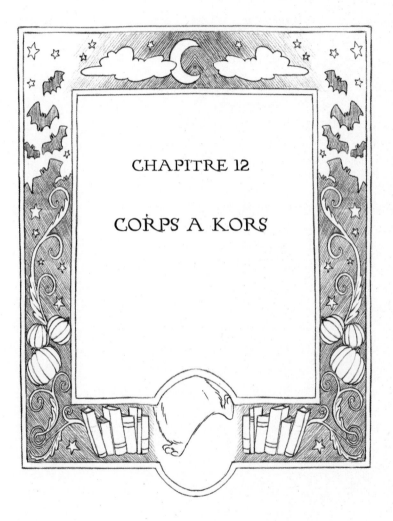

CHAPITRE 12

CORPS A KORS

RTHUR, la citrouille boîte aux lettres, avait constaté une certaine agitation dans la rue suite à l'arrivée fracassante des maîtres de maison, Tibor et Artémissia, une heure plus tôt.

Tout le monde avait quitté sa maison en transportant ses enfants sur des brancards improvisés et se dirigeait vers l'école, d'après ce qu'il avait pu entendre. Les parents avaient l'air tristes et les plus petits des enfants, âgés de six ans ou moins, étaient terrorisés de voir leurs grands frères ou leurs grandes sœurs dans ce drôle d'état.

Il se passait des choses vraiment étranges en cette chaude matinée d'été et Arthur se promit d'être attentif aux moindres détails. Mais il ne remarqua même pas Hildegarde et Norbert qui s'approchaient de lui.

— Arthur ? lança Norbert en le faisant sursauter, nous sommes convoqués de toute urgence chez notre détective en chef. Rassemblement des troupes !

— Vous m'avez fait peur, tous les deux ! J'arrive.

Arthur poussa sur ses feuilles et bascula en arrière, habilement réceptionné par Norbert et Hildegarde. Son chapeau se décolla de sa tête mais vint se ficher en haut du manche d'Hildegarde. Une fois au sol, Arthur se hissa sur ses branches et avança en dodelinant jusqu'à l'entrée, puis les trois adjoints poursuivirent leur route dans le couloir jusqu'à la chambre d'Harmonie.

Après avoir frappé selon le code secret qu'ils avaient inventé, les trois adjoints pénétrèrent dans la pièce et refermèrent derrière eux, après s'être assurés qu'aucune oreille indiscrète ne viendrait espionner leur réunion. Avec un mouvement sec, Hildegarde renvoya le chapeau sur la tête d'Arthur. Leur conciliabule pouvait commencer !

— Merci d'être venus, entama Harmonie après avoir séché les dernières larmes qui perlaient au coin de ses yeux. Je suis consignée dans ma chambre jusqu'à nouvel ordre. Je dois donc résoudre le problème d'ici et vous allez m'aider !

— C'est un honneur, assura Norbert en s'inclinant solennellement.

— Nous sommes prêts, surenchérit Arthur, désormais posé sur le bureau de la fillette, en saluant de son chapeau.

— Quels sont les faits ? interrogea Hildegarde pour démarrer l'investigation sans tarder.

Harmonie saisit alors les petites fiches qu'elle avait remplies depuis le début de l'enquête et en détailla les points essentiels. Elle rapporta l'épisode de la montagne, fit la liste des étranges faits à l'école et termina par les malaises de Pluton et des trois chipies Cassandre, Mirabelle et Rowena.

— Les kors ont envahi notre village et ont « empoisonné » tous les enfants. Ou du moins les enfants capables de jeter le sort d'Ilététunefoi, continua Harmonie. Je dois réagir vite !

— Quels sont les symptômes de la maladie ? demanda Arthur.

— Ça commence par des maux de tête, lui expliqua la fillette, ça rend un peu en colère et ensuite ça empire jusqu'à l'évanouissement. Je n'ai pas constaté la suite, mais mes parents m'ont parlé d'un état de vide total.

— Avez-vous vous-même été touchée par ce mal ? l'interrogea Hildegarde.

— Oui, une fois hier en rentrant de chez Pluton, dit-elle avant de réfléchir et de reprendre la parole pour rectifier son affirmation. Non, attendez ! Je me trompe, c'est la deuxième fois ! J'ai été attaquée hier soir, devant chez Rowena, mais j'oubliais la grotte ! C'était ça, la toute première attaque des kors !

— Et tu en as déjà ressenti les premiers effets? poursuivit Norbert.

— Oui, c'était une sensation très étrange et franchement désagréable, affirma la petite sorcière. C'était comme si une partie de moi était aspirée. Après, j'ai eu un peu mal à la tête. Je croyais que c'était la fatigue, mais maintenant, je me rends compte que c'est bien plus grave…

— Vous risquez donc de finir dans le même état que vos amis? s'inquiéta alors Hildegarde.

— Oui, et c'est bien ce qui me chiffonne, car contrairement à tous les autres, je n'ai accepté aucun cadeau! Alors pourquoi suis-je en train de subir le même sort?

— Les cadeaux ne sont peut-être pas en cause? proposa Norbert en se creusant les méninges. Ils ne volent peut-être pas que votre magie, après tout!

— Nom d'une citrouille! Tu as raison! Je fais fausse route depuis le début! s'exclama Harmonie.

— Que cherchaient-ils réellement? Qu'est-ce qui a pu les attirer hors de leur grotte? poursuivit Norbert.

Un souvenir récent rejaillit soudain dans la mémoire de la petite sorcière : elle revécut l'épisode dans la grotte, où elle s'émerveillait des idées incroyables de sa petite sœur. Et c'était vrai que

Miette faisait preuve d'une grande imagination pour accompagner le sortilège d'Ilététunefoi. Quand elle en serait à l'âge de s'en servir, ses histoires n'auraient aucune limite !

À cette pensée, un second souvenir apparut : elle revit Miette, debout sur son lit, lui expliquer qu'une bande de petits animaux rigolos étaient venus écouter ses histoires (et sans aucun doute les dévorer) et qu'ils adoraient les aventures de la Capitaine Miette.

Une solution pour sauver tous les enfants se dessina alors.

— Mais oui ! C'est ça ! s'exclama-t-elle, heureuse d'avoir enfin démêlé une partie de l'énigme et d'avoir une piste à laquelle s'accrocher, ne lui restant plus désormais qu'à dérouler le reste de la pelote.

Harmonie sautilla au milieu de sa chambre et distribua des câlins à tous ses inspecteurs adjoints. Elle sortit de sa chambre en trombe et fonça en direction du salon où sa mère travaillait encore à l'organisation des tours de gardes, des livraisons de couvertures et de nourriture dans la salle des sortilèges pour la prise en charge des enfants.

— MAMAN ! J'ai trouvé la solution ! hurla Harmonie en faisant sursauter Artémissia.

— Harmonie ! Ça ne va pas de crier de la sorte ! Tu m'as fait peur !

— Pardon, maman. Mais je sais comment guérir tous les enfants, sans chasser les kors !

— Quoi ?! Mais… Et comment comptes-tu t'y prendre ? interrogea Artémissia abasourdie.

— Grâce à Miette et à toi ! annonça Harmonie en quittant déjà la pièce en courant.

— Miette et moi ?! Mais enfin, qu'est-ce que tu racontes ?!

— Suis-moi !

Harmonie traversa le couloir au pas de course et grimpa quatre à quatre les marches en colimaçon de l'escalier de la tour. Derrière elle, sa mère avait du mal à la suivre.

— Harmonie ! Veux-tu t'expliquer enfin ? lui intima sa mère.

— Miette ! Ouvre-moi, je t'en prie ! ordonna Harmonie en frappant à la porte de la chambre de sa petite sœur, éludant la question posée par sa mère. Je sais comment sauver les kors ! Miette ! Tu m'entends ?!

Il n'y eut pas de réponse. Cette fois, c'est Artémissia qui débloqua le verrou de la porte à l'aide de sa baguette magique et Harmonie et elle pénétrèrent en même temps dans la chambre jonchée de gâteaux entamés, de peluches mises en scène et de lumi-billes en suspension.

Mais aucune trace de Miette.

— Youki non plus n'est pas là, réalisa soudain Harmonie qui était passée devant sa chaîne défaite au pied de l'escalier sans y avoir prêté attention. Ils se sont enfuis !

Artémissia était toute retournée. Sa fillette de cinq ans et demi virevoltait quelque part dans les environs à dos de dragon, au milieu d'un village en quarantaine et de dizaines de petits monstres assoiffés d'histoires d'enfants, tandis qu'elle se trouvait au milieu de sa chambre vide, complètement démunie.

— Elle a dû nous entendre quand nous avons parlé de chasser les kors, comprit Artémissia en s'affalant sur le lit de Miette, désemparée.

— Alors il n'y a pas une minute à perdre. Nous devons partir ! Je suis certaine que Miette est là-bas !

Mère et fille redescendirent l'escalier encore plus vite qu'elles ne l'avaient monté, saisirent chacune son balai et décollèrent sous le soleil à son zénith.

— Quelle est ton idée pour leur venir en aide ? reprit Artémissia en se tournant vers sa fille, les cheveux au vent, les yeux plissés.

— Je t'expliquerai en chemin ! scanda Harmonie en fonçant droit vers la montagne. Papa a sans doute déjà prévenu le conseil et organisé la marche vers la

grotte. Nous devons faire vite. Pourvu qu'il ne soit pas déjà trop tard !

Une fois arrivé au sein de la Grande Académie des Sorciers, Tibor avait alerté les autorités supérieures de la situation de crise que rencontrait le village de Pamprelune. Maître Nicodémus Flamélio, créateur et doyen de l'Académie, avait pris le problème très au sérieux et avait demandé à suivre Tibor jusqu'au village. Tous les deux avaient emprunté un nouveau portaillexpress jusqu'à la salle des sortilèges de l'école d'Harmonie.

Sur place, l'organisation était un peu désordonnée. Les instituteurs étaient sollicités de toutes parts par des parents en détresse, alors que la plupart d'entre eux avaient également des enfants touchés par la maladie. L'absence de la directrice de l'école, Artémissia, se faisait rudement sentir.

Sentant la panique gagner la foule, Maître Flamélio s'était proposé pour remplacer un temps la directrice et organiser comme il le pouvait la prise en charge de tous les enfants du village. Et comme la chaleur était vite montée dans la grande salle avec la présence de tout ce monde, il avait ordonné que des groupes de

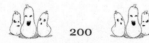

parents soient créés, afin d'organiser un roulement dans la garde et l'accompagnement des enfants.

Les groupes avaient été rapidement composés, le roulement mis en place et certains parents avaient pu rejoindre la cour de récréation pour souffler un peu, malgré leur état de fatigue et d'inquiétude. Ensuite, Tibor avait convoqué un délégué de chacun des groupes pour les avertir des derniers éléments dont il disposait.

Par un vote unanime, il avait été décidé qu'une poignée de parents se rendraient jusqu'à la grotte pour trouver une solution. Les adultes s'étaient mis en marche en direction de la grotte, en espérant y trouver un moyen de guérir leurs enfants…

— Sortez ! Nous savons que vous êtes là ! ordonna Icabote Fosse, le bourgmestre au premier rang de la foule qui faisait face à la grotte qu'Harmonie avait décrite.

Il y eut une longue minute de silence avant que quelque chose ne se mette en mouvement à l'intérieur de la grotte. La foule d'adultes retint son souffle en entendant le gravier de la grotte foulé par de petits pas.

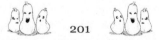

Les rayons du soleil s'infiltraient dans la grotte par des puits de lumière naturelle, diffusant une pâle lueur au fond de la grotte. À l'entrée, encore cachée dans l'ombre, une première silhouette allongée se découpa, bientôt rejointe par une autre, plus basse et plus ronde. Les deux silhouettes s'approchèrent encore, maintenant frappées par la lumière du jour et toute la foule fut stupéfaite de l'apparition.

— MIETTE ?! s'écria Tibor depuis le premier rang du regroupement, sidéré de découvrir sa cadette à l'entrée de la cavité, accompagnée de son fidèle Youki. Qu'est-ce que tu fais là ? poursuivit-il sans comprendre.

— Je viens protéger les kors ! Vous avez pas le droit de leur faire du mal ! hurla-t-elle, en colère contre la foule.

Un murmure s'éleva parmi les adultes qui échangèrent des regards, et ce fut comme si toute la tension qui régnait au sein du groupe venait de s'envoler d'un coup. Les kors avaient mis les enfants en danger et c'était une enfant qui les défendait à présent. Tout le monde était un peu perdu.

— Miette, reprit Tibor d'une voix plus douce. Nous voulons juste qu'ils cessent de s'attaquer aux enfants. Et pour être sûr que cela arrive, ils doivent partir.

— Et pour aller où ? éructa la fillette. Dans un autre village ? Pour que ça recommence ailleurs ?! Moi, je ne veux pas qu'ils partent ! Je veux qu'on les laisse tranquilles !

Cardamome Folle-Avoine se faufila parmi les villageois agglutinés et arriva enfin à la hauteur de Tibor après avoir joué des coudes. Une fois au pied de la grotte, elle brandit un doigt accusateur en direction de Miette.

— Ne rends pas les choses plus compliquées qu'elles ne le sont ! lança-t-elle. Laisse ton père faire son travail !

Tibor fut très surpris d'être ainsi pris à partie. Visiblement, on attendait de lui des actes précis mais l'intervention de sa fille l'avait fait réfléchir. Il se tourna vers la foule qui commençait à s'impatienter. La tension qui avait disparu l'instant d'avant, renaissait doucement…

— Au fond, Miette n'a pas tort ! affirma Tibor. Déplacer le problème le réglera-t-il ? Et mon travail d'académicien n'a jamais consisté à chasser des petits animaux de leur habitat naturel ! Nous sommes venus ici pour trouver une vraie solution. Pas pour organiser un lynchage.

Le murmure devint grondement. Une voix se fit entendre dans la foule, très vite suivie par d'autres et le ton s'éleva rapidement.

— Mes enfants sont vidés de leur être à cause de ces bestioles ! C'est vous-même qui nous l'avez dit ! Je ne serai pas indulgent à leur égard !

— Il a raison ! C'est facile pour vous, Tibor ! Vos filles n'ont pas été touchées, elles ! Vous ne savez rien de ce que nous ressentons !

— Arrêtons de discuter ! ordonna un autre en colère. Chassons de là ces maudits animaux, qu'on en finisse !

Tibor était terrorisé. Il tenta de retenir certains parents, mais tous étaient pris dans la vague qui filait droit sur l'entrée de la grotte. Il n'avait plus qu'une seule préoccupation en tête : protéger sa fille de la colère des villageois.

À la force de ses bras, il se fraya un chemin dans la foule en mouvement et aperçut au loin Miette exercer un pas en arrière, effrayée par cette horde qui s'approchait dangereusement. Même Youki était épouvanté.

— EN AVAAAAANT ! scandèrent les villageois en avançant vers la grotte.

— NOOOOOOOOOON ! hurla alors une voix stridente au-dessus de la foule.

Tous les villageois s'arrêtèrent d'un coup, le sang glacé par ce cri perçant venu du ciel. Le silence tomba aussitôt et tous levèrent les yeux au ciel.

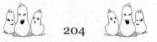

Tibor et Miette en firent autant, heureux de ce qu'ils découvrirent.

Harmonie, perchée sur son balai, freina sa course pour se mettre à la verticale du groupe. Avec le soleil dans son dos, il était difficile de la fixer. Elle entreprit donc une phase d'approche et atterrit devant l'entrée de la grotte, faisant rempart de son corps frêle entre la foule en colère et sa petite sœur.

— Je vous en prie, supplia-t-elle à l'attention de tous les adultes qui la fixaient du regard. Arrêtez. Il y a une autre solution pour arrêter cette épidémie.

Harmonie grimpa jusqu'à sa petite sœur et lui demanda si tout allait bien pour elle. Pour toute réponse, elle eut droit à une forte étreinte silencieuse. Elles étaient enfin réconciliées ! C'était une très bonne chose.

Puis, en regardant par-dessus l'épaule de Miette, Harmonie découvrit tous les kors cachés dans l'ombre de la grotte, attentifs à ce qui se déroulait dehors et sans doute très sensibles à la colère sourde qui régnait parmi les villageois. Les petits animaux semblaient très inquiets. Même Youki, malgré la présence de trois de ses maîtres, n'était pas rassuré.

Harmonie se libéra des bras de Miette et escalada le rocher qui trônait à l'entrée de la grotte pour être sûre d'être vue et surtout entendue par toute l'assemblée.

— Ma chérie, où est ta maman? s'étonna Tibor en rejoignant ses filles et en s'agenouillant à leurs côtés. Tu devrais être avec elle!

— Elle est à l'école, papa. Elle nous attend tous là-bas! lui répondit Harmonie.

— Comment? Mais… pourquoi? l'interrogea-t-il, très surpris.

— Je vais t'expliquer, papa. Je vais tous vous expliquer! ajouta-t-elle en se tournant vers la foule.

À la manière du mystère du jeteur de sorts, elle pensait avoir résolu l'énigme des petits monstres mangeurs d'histoires.

C'était donc l'heure des révélations!

CHAPITRE 13

MANGEURS
D'HISTOIRES?

 'AI compris pourquoi beaucoup d'enfants du village sont malades! entama Harmonie. Oui, c'est en partie à cause des kors... mais c'est aussi un peu de leur propre faute!

— De sa faute?! répéta Cardamome Folle-Avoine, la mère de Pluton, indignée. À mon fils?! Mais comment?

— Pour le comprendre, il faut d'abord savoir de quoi se nourrissent réellement les kors, lui répondit la fillette.

— Des histoires contées par les enfants! C'est toi-même qui nous l'as expliqué! répliqua Tibor qui ne savait pas où sa fille voulait en venir.

— Eh bien, j'avais tort. En réalité, ce n'est pas exactement de nos histoires qu'ils se nourrissent, mais plus précisément...

Harmonie marqua une pause. Tous les adultes retinrent leur souffle.

— De notre imagination ! De notre culture, de nos connaissances ! De toute la magie que nous créons nous-mêmes ! conclut-elle avec fierté.

Les villageois échangèrent des regards incrédules, ne sachant comment réagir face à cette étrange révélation. Personne ne s'attendait à une telle réponse. Finalement, le bourgmestre Icabote Fosse osa prendre la parole et demanda à Harmonie de développer le fond de sa pensée. La jeune fille prit donc un ton professoral et entama ses explications…

— Nous le savons, notre terre est parcourue par un courant d'énergie magique. Quand ils vivaient dans leur grotte, les kors se nourrissaient de ce qu'ils y trouvaient, sans savoir que les fruits de la terre étaient gorgés de cette magie. Les membres de cette espèce animale ont acquis une certaine aptitude à la magie. Tout comme nous !

Harmonie s'accroupit par terre et ramassa un caillou tout lisse qui traînait. Maintenant au creux de sa paume, elle brandit l'objet aux adultes qui le regardèrent attentivement.

— Mais jusqu'à présent, leur magie se manifestait sous une forme un peu primaire : ils faisaient apparaître des galets, pensant certainement faire une vraie offrande à la terre. Il y a plein de petites tours de ces galets dans la grotte. C'était leur façon à eux de dépenser leur propre réserve de magie. Mais il y

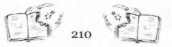

a quelques jours, ici-même et par ma faute, ils ont découvert le sortilège d'Ilététunefoi…

Un petit kor dépassa Miette et vint s'asseoir auprès d'Harmonie, guettant sans doute l'apparition de l'histoire qu'elle contait. Il se pencha vers elle, prêt à « dévorer » ses paroles.

— C'est un sort particulier, poursuivit Harmonie en caressant le petit animal à ses côtés. Car il est alimenté non pas par une, mais par deux sources de magie bien distinctes : la magie de la terre ET notre imagination ! Vous vous rendez compte ? Une deuxième source de magie ! Quelle découverte incroyable pour les kors !

— Kor ? réclama le petit animal, avec un regard suppliant.

— Non, mon petit. Je ne peux hélas pas faire de démonstration. Je risquerais d'en souffrir.

— Tu as raison, ma chérie. Ne te mets pas en danger, lui intima Tibor. Continue !

— Merci, papa. Dans la grotte, les kors ont goûté au sort d'Ilététunefoi en aspirant goulûment la membrane de magie qui recouvrait les parois. Le bruit était dégoûtant !

— Oui ! s'esclaffa soudain Miette, en mimant la situation. Ça a fait un SLUUUUURP tout pas beau !

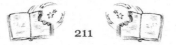

Les adultes rirent devant la fillette qui faisait la grimace. Puis ils la regardèrent avec une légère pointe de nostalgie, désirant plus que tout retrouver cette même joie de vivre chez leurs propres enfants.

— Apparemment, poursuivit Harmonie après cet interlude, ils ont trouvé notre histoire de pirates aussi exquise qu'une friandise ! Ils ont donc cherché à retrouver ces saveurs et nous ont suivies hors de la grotte. Mirabelle, Cassandre et Rowena ont pris notre suite sans le savoir et les kors ont adapté leurs cadeaux pour continuer à recevoir des histoires ! Peut-être est-ce cette nouvelle source de magie qui leur a permis de modifier leurs offrandes. En tout cas, ils ont appris à faire apparaître des cara-malices !

— C'est donc de là que viennent toutes les sucreries que nous avons retrouvées dans la chambre de ma petite Cassandre ! soupira Egretta Parnassie, la mère de l'intéressée.

— Oui ! approuva Harmonie. Ce petit manège a continué un moment et les kors ont développé de nouvelles capacités. Quand les filles se sont retrouvées à court d'idées, les kors se sont tournés vers Pluton… et bien d'autres ! Ils faisaient désormais apparaître tout ce qu'un enfant désirait, tant qu'il lui montrait un exemple avant : des lumi-billes, des peluches et autres… Mais ce qu'ils ignoraient, c'était

que les cadeaux qu'ils offraient rendraient les enfants aussi avides qu'eux…

Harmonie se perdit une seconde dans ses pensées, en se remémorant le changement d'attitude de son cher Pluton. Lui qui était si prompt à partager son goûter à la récréation, à aider les autres élèves pour faire leurs devoirs, était devenu un enfant un peu cupide. Certes, son but était avant tout d'attirer sa pie disparue. Un but très louable. Mais alors, pourquoi n'avait-il pas commencé, vu l'énorme quantité de lumi-billes dont il disposait déjà ? Harmonie se dit que lui aussi avait été victime de cette avidité…

— Un enfant qui ne pense qu'à posséder des choses, reprit-elle, va dépenser sa magie sans compter, ni se rendre compte que les friandises qu'il consomme et les cadeaux qu'il accumule ne le rechargent pas en magie. Il ne pense plus qu'à lui-même et à ses possessions. Ainsi, il se défait peu à peu de tout lien avec la magie et finit très vite par être à sec ! Les kors ont vidé les réserves de magie des enfants en aspirant tout ce qui fait leur personnalité. C'est pour cela qu'ils sont dans cet état !

Les parents étaient abattus par toutes ces révélations. La cupidité ne faisait absolument pas partie des valeurs qu'ils avaient transmises à leurs enfants et pourtant, ces derniers en étaient les victimes. Ils

avaient été aveuglés par les cadeaux de ces étranges animaux et leur avidité soudaine s'était retournée contre eux. C'était terrible.

— Comment pouvons-nous sauver nos enfants? interrogea Betula Quintefeuilllle, formulant à haute voix la question que tous les parents s'étaient alors posée, ne voyant aucune solution naître dans ce brouillard.

— En offrant d'abord aux kors la meilleure source d'imagination et de connaissances dont ils puissent rêver! scanda Harmonie à l'attention de la foule de parents désespérés.

— Qu'entends-je? reprit Icabote Fosse. Tu nous parles des kors, mais notre priorité, ce sont les enfants!

— Je sais, monsieur le bourgmestre. Mais je vous assure qu'en aidant les premiers, nous sauverons les seconds.

— Et comment comptes-tu t'y prendre?

— Ce n'est pas moi qui vais aider les kors, s'amusa Harmonie en se relevant et en redescendant de son perchoir.

Harmonie se retourna brusquement en direction de l'entrée de la grotte, en pointant sa petite sœur du doigt.

— C'est Miette qui va le faire! lança-t-elle.

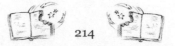

— Moi ?! s'étonna l'intéressée. Mais comment je pourrais faire ça ? J'ai même pas de pouvoirs le jour !

— Il va donc falloir que tu dormes, lui assura Harmonie.

— Qu'as-tu en tête, Harmonie ? demanda Tibor un peu inquiet. Tu veux… te servir de Miette ?

— Non, papa. Miette possède en elle quelque chose d'unique. Et c'est cela qui va sauver les kors ! Elle ne peut faire apparaître des histoires que la nuit, pendant qu'elle dort. Tu comprends ce que cela veut dire ? Elle les donne donc inconsciemment et non par avidité, contrairement aux autres enfants. De plus, son don est limité à la nuit, elle a donc le temps de recharger sa magie en journée !

— Oui, je vois, souffla Tibor. Ainsi, elle peut aisément regagner de la magie durant la journée, comme à son habitude !

— Exactement ! Pour les kors, c'est une chance inouïe ! Miette peut leur faire un don régulier, sans risquer de se fatiguer et ou de perdre toute sa magie. De plus, les histoires qu'elle invente doivent avoir très bon goût ! Elle a toujours des idées incroyables !

Sur ces mots, Miette quitta l'entrée de la grotte et rejoignit son père et sa grande sœur auprès du reste de la foule. Les kors dissimulés dans l'ombre de la

grotte s'approchèrent pour voir ce qu'il se passait, un peu inquiets de voir Miette s'éloigner.

— Qu'est-ce qu'on doit faire, Nini? demanda Miette.

— Nous devons attendre que la nuit tombe et que tu t'endormes, ma puce. Car j'ai besoin que les kors nous suivent, mais je ne veux pas les brusquer. Si nous options pour la violence, ils pourraient s'engouffrer dans les tréfonds de leur grotte et les enfants seraient perdus! Tu veux bien nous aider en les attirant avec tes histoires?

— Oui, mais… ils ne vont pas me faire du mal, alors?

— Non. Tu ne cours aucun danger, Mimi. Je te le promets. Tu n'es pas comme les autres. Et puis, ce sera la seule fois où tu auras à faire ça.

— D'accord, Nini.

— Très bien. Maintenant, attendons la nuit!

Le groupe d'adultes se délaya suite à toutes ces révélations. Certains retournèrent à l'école pour passer du temps auprès de leurs enfants, avec l'intime espoir que le plan d'Harmonie fonctionne. D'autres

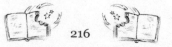

parents, alertés par ceux qui avaient vécu la scène devant la grotte, la rejoignirent justement pour être témoins du déroulement du plan de la fillette et apportèrent de l'eau et un peu de nourriture pour éviter les malaises durant l'attente sous le soleil écrasant.

Les familles s'installèrent dans l'herbe à l'ombre des arbres-sorciers et comptèrent les heures avant que le soleil ne disparaisse enfin derrière les hauteurs de la colline.

Miette n'avait pas quitté les bras de son père de tout l'après-midi. Tout cela l'avait fortement chamboulée. Une fois encore, ses pouvoirs nocturnes la mettaient au devant de la scène et elle espérait secrètement que cela ne nuirait pas à ses relations.

Harmonie tenta de la rassurer à ce propos justement. Elle lui assura que tous les villageois la remercieraient pour avoir agi afin de sauver les enfants du mal qui les rongeait. C'était l'occasion rêvée pour qu'elle quitte sa réputation de menace potentielle, pour gagner le costume de sauveteuse d'enfants malades !

Le ciel s'assombrit enfin. Miette bâillait déjà depuis quelque temps, puis ses yeux finirent par se fermer. Tout le monde fit le silence autour d'elle. Après quelques instants qui parurent une éternité pour les parents impatients, Tibor saisit délicatement sa fille et la tint à cheval sur ses épaules.

— Je crois qu'elle s'est endormie, murmura-t-il à l'assemblée. Elle a relâché tous ses muscles et pèse sur mes épaules de tout son poids.

— Surtout, que personne ne la réveille, intima Harmonie tout doucement, à l'attention de la foule. Miette a eu de nombreuses contrariétés aujourd'hui, sa magie ne devrait pas tarder à se réveiller.

Miette était parfaitement immobile et sa respiration profonde et régulière. Elle dormait bien sur les épaules de son père. Tous les regards étaient rivés sur elle et chacun attendait la moindre manifestation de magie de sa part.

Après quelques minutes, les lèvres de la petite fille s'agitèrent mais les mots qu'elle prononçait étaient encore incompréhensibles. Puis on commença à distinguer quelques idées.

— Gnilététunefoi… gnattenchion, Capitaigne… balbutia la fillette endormie en levant la main dans une savante chorégraphie, celle-là même qui accompagnait le sortilège.

Des volutes de magie naquirent et illuminèrent soudain le visage de la fillette et le dos de son papa, puis un décor se dessina peu à peu.

— Cette fois, c'est parti, souffla Harmonie, sur le qui-vive.

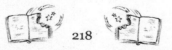

— Hardis, moussaillons ! Nous devons franchir ce cap coûte que coûte !

La Capitaine Miette était de retour sur les eaux glacées des pôles, bravant d'immenses icebergs et affrontant mille dangers. Harmonie fut surprise de la foison de détails dans son récit. De menaçants nuages alourdissaient un ciel d'encre et les éclairs zébraient l'obscurité. L'un d'eux frappa le mât du frêle esquif et les voiles s'embrasèrent, illuminant les visages des adultes présents tout autour, subjugués par le récit. Mais ils n'étaient pas les seuls.

Depuis l'entrée de leur cavité, les kors observèrent avec appétit la scène de naufrage qui se déroulait non loin d'eux. Ils descendirent les quelques mètres les séparant du récit, puis commencèrent à en déchirer de grands morceaux pour s'en délecter goulûment.

— Kor ! Kor ! réclamèrent les petits animaux.

— Vous voyez comme ils aiment ses histoires ?! reprit Harmonie. Maintenant, suivez-moi en douceur. Direction l'école !

— Souquez, moussaillons ! Souquez !

— Miom ! Crunch ! Chomp !

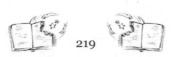

Le chemin fut long entre la grotte et l'école et il fallut quasiment une heure pour atteindre enfin l'établissement scolaire. Il faisait nuit noire, mais la lune baignait le village d'une légère lueur bleutée, permettant à tous d'avancer dans les ruelles de Pamprelune.

Miette, secouée par le voyage — son père avait réussi à décoller avec son balai, tout en tenant sa fille contre lui — avait entrecoupé son récit sans le savoir. Fort heureusement, les kors avaient continué à la suivre, malgré les pauses régulières dans le flot de ses histoires, et tout le monde avait fini par arriver devant la grille du bâtiment sans réveiller l'enfant.

Harmonie somma aux adultes de rester en retrait ou de rejoindre le chevet de leurs enfants dans la salle des sortilèges, puis elle guida son père et Miette dans les couloirs sombres de l'école après avoir allumé une chandelle. La petite famille était suivie de près par une ribambelle de kors, affamés et gourmands.

— Où nous emmènes-tu comme ça, ma chérie ? interrogea Tibor.

— Je te l'ai dit, papa. D'ailleurs, nous y voilà, murmura Harmonie quand elle arriva à hauteur de sa salle de classe.

— Terre ! Terre ! scanda Miette, comme si elle captait qu'elle était arrivée elle aussi à destination, malgré les vapeurs de sommeil qui l'enveloppaient.

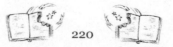

Harmonie saisit la poignée de la porte d'entrée de la salle de classe.

— J'ai guidé les kors vers la meilleure source d'imagination et de connaissances dont ils puissent rêver un jour!

— Laquelle?

— La leur! conclut fièrement Harmonie en ouvrant la porte en grand, dévoilant ainsi ce qui se cachait derrière : Artémissia debout sur l'estrade devant le tableau noir.

— Soyez les bienvenus en classe! déclara Artémissia en invitant les kors à venir prendre place sur les bancs de la salle. Installez-vous pour votre première leçon, s'il vous plaît!

— Kor? émit l'un des petits monstres, incrédule.

— Non! Je ne veux aucun bavardage! Bien! Commençons par le début. La lettre A!

Harmonie quitta la pièce et referma délicatement la porte derrière elle, après avoir adressé un clin d'œil complice à sa maman en pleine leçon.

Tibor, Miette et elle regagnèrent la maison. Tibor installa sa cadette dans son lit et tira la couverture sur elle, même si l'air était encore chaud. Il referma bien la fenêtre, s'assurant ainsi que plus aucun petit monstre ne viendrait perturber les rêves de sa fille,

même si lesdits petits monstres étaient ailleurs, en plein apprentissage.

Il redescendit l'escalier en colimaçon, traversa le couloir désert et frappa doucement à la porte de la chambre d'Harmonie. Cette dernière l'invita à entrer.

Harmonie était déjà couchée, les yeux bouffis de sommeil, exténuée par cette longue journée.

— Tu as eu une excellente idée, ma chérie, lui assura Tibor en lui déposant un doux baiser sur le front. Je suis fier de toi.

— Merci, papa, dit la petite sorcière en clignant des yeux pour les garder ouverts encore un instant. En apprenant à lire, les kors pourront se conter des histoires les uns aux autres et ainsi créer leur propre magie. J'espère que ça marchera.

— J'en suis certain. Bonne nuit, ma belle.

— Bonne nuit, papa.

Tibor fit tournoyer sa baguette et éteignit à distance le globàjour près du lit de sa fille, avant de rejoindre le salon.

Harmonie ferma instantanément les yeux et sombra dans un profond sommeil, satisfaite d'avoir résolu cette nouvelle énigme.

Pour la pie Bianca, elle verrait ça le lendemain.

CHAPITRE 14

RETOUR
A LA NORMALE

AÎTRE Flamélio quitta un temps la salle des sortilèges pour se promener dans les couloirs de l'école. Ses pas le conduisirent naturellement vers la salle de classe encore occupée, malgré les vacances scolaires. Son assistant Aliot Graveluche le rejoignit, mais le doyen des sorciers ne le remarqua même pas, obnubilé qu'il était par les petits monstres.

— Maître Flamélio ? Tout va bien ? interrogea le jeune assistant.

— Mille citrouilles ! Pardonnez-moi, Aliot. Je ne vous avais pas entendu arriver, dit-il avec un grand sourire et les yeux pleins de malice. Mais je suis fasciné par ces kors et leur intarissable soif de connaissances. Ils n'apprennent pas que pour se nourrir, voyez-vous ? Ils veulent réellement apprendre ! Se cultiver !

— Oh ! Je connais cette lumière dans votre regard, Maître ! s'amusa l'assistant. Vous, vous avez une idée !

— Hi ! Hi ! Oui… Les kors pourraient bien avoir une place à l'Académie. J'en informerai le Grand Conseil très prochainement.

Après leur première journée d'apprentissage, les kors s'étaient sagement endormis dans un coin ombragé du préau de l'école, et Artémissia avait pu rejoindre sa demeure pour se reposer à son tour. Le lendemain, elle avait fait le bilan à son mari et à ses filles des résultats spectaculaires des petits animaux. Elle avait grand espoir quant à leurs capacités. Les enfants encore dans la salle des sortilèges, eux, avaient continué à se reposer.

La maîtresse d'Harmonie avait pris le relais les jours suivants et les cours avaient continué pour les petits monstres. À chaque nouveau jour, les kors avaient réclamé encore et toujours plus de savoir.

La magie de ce monde permit aux kors d'apprendre très rapidement. Ils firent des progrès fulgurants en lecture et en prononciation et purent également commencer à tenir des conversations simples. Ils purent apprécier de partager et de savourer des histoires les uns avec les autres, ne faisant plus de mal à personne.

Quand ils furent prêts, ils se rendirent dans la salle des sortilèges au chevet des enfants malades qui sommeillaient encore et entreprirent de leur conter

des histoires en utilisant leur magie à eux, celle née de leur apprentissage à lire et à partager.

Les kors, offrant leur temps et leur énergie pour accomplir cette tâche, découvrirent les bienfaits du partage et cela leur procura un plaisir nouveau. Mieux encore, cela augmenta leur réserve personnelle de magie. Désormais, ils n'auraient plus jamais besoin de voler celles des autres.

Et l'effet sur leur public fut immédiat. Les enfants, maintenant éloignés de toute influence néfaste, ressentirent le don de magie que leur faisaient les kors. Ils s'endormirent paisiblement au doux son de leurs voix et se réveillèrent le lendemain, complètement guéris.

L'histoire du soir avait toujours ce pouvoir de guérison !

Tout rentra dans l'ordre dans le village de Pamprelune. Les enfants purent regagner leur foyer et leurs parents purent à nouveau les serrer dans leurs bras, heureux de les retrouver sains et saufs. Les kors, quant à eux, se destinèrent à un autre chemin…

Une petite cérémonie de départ fut organisée devant l'école, avec Maître Flamélio, quelques

instituteurs et les kors. De nombreuses familles vinrent saluer et remercier les petits monstres en leur souhaitant plein de belles choses pour leur nouvelle vie.

— Vous allez me manquer, leur dit Miette en serrant tendrement un kor dans ses bras.

— Toi aussi, Miette ! assura le kor avec un grand sourire.

— Qu'allez-vous faire, maintenant ? interrogea Harmonie, présente elle aussi. Vous retournez dans votre grotte ?

— Non, répondit le chef des kors. Soif de connaissances trop grande. Académie nous accueillir pour étudier.

— Je leur ai trouvé une place de choix au sein de l'Académie ! Mais vous les reverrez, je vous le promets, assura Nicodémus Flamélio en adressant un petit clin d'œil complice aux deux sœurs.

Maître Flamélio sortit sa baguette de sa manche et traça un grand cercle dans le vide en prononçant la formule du portaillexpress.

— À l'Académie ! lança-t-il joyeusement.

Puis il se retourna en direction des kors en leur souriant et en leur tendant une main.

— Vous venez, mes amis ? Nous avons du travail !

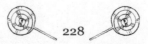

Les kors franchirent un à un le portail en saluant une dernière fois Miette et Harmonie et tous les enfants venus assister à leur départ.

— Au revoir, petits kors! crièrent-ils. Au revoir!

L'été avait pris ses quartiers depuis un bon mois déjà dans les ruelles de Pamprelune, quand Artémissia rouvrit les portes de l'école. Mais cette fois-ci, les élèves qui s'engouffrèrent dans la cour de récréation n'étaient pas venus là pour travailler, mais bien pour participer à la grande kermesse de l'école qu'ils avaient en grande partie organisée eux-mêmes. La plupart des villageois avaient repoussé la date de leurs vacances pour pouvoir y être présents. Les récents événements n'allaient tout de même pas entacher les festivités!

Sur les stands de tir, les cris retentissaient. Les chamboule-tout étaient plus assourdissants que jamais. Sur scène, on jouait une petite pièce de théâtre. Sous le préau, le buffet était assailli… On proposa même à Cassandre, Mirabelle et Rowena quelques brochettes de cara-malices et de choco-mabouls trempées dans un coulis sucré, mais elles les refusèrent catégoriquement dans une grimace de dégoût, provoquant l'hilarité de tous les élèves autour.

Pluton, quant à lui, ne prenait pas part à la fête. Il était présent, mais restait dans son coin, pensant à son oiseau disparu. Ses parents avaient tenté de le réconforter en lui expliquant les périodes de nidification et de ponte des membres de cette espèce, et en lui assurant que Bianca allait bien et qu'elle devait sans doute jacasser dans un coin avec ses congénères.

Mais cela n'avait été qu'une maigre consolation. Il espérait au moins la revoir une petite fois, pour être sûr que tout allait bien pour elle.

Miette et Harmonie, elles, se promenaient dans les allées, alléchées par les odeurs sucrées des gaufres qui cuisaient un peu plus loin. Tout le monde venait les saluer et les remercier pour tout ce qu'elles avaient fait, leur proposant des boissons fraîches, ou des douceurs à manger, leur réservant les meilleures places pour assister au spectacle…

Pour Miette, tout cela était nouveau et lui faisait beaucoup de bien, même si elle était un peu triste d'avoir dû dire au revoir aux kors. Mais elle préféra ne pas trop le montrer, préférant changer de sujet de conversation.

— Ça fait bizarre d'être à l'école alors que c'est déjà les vacances ! constata-t-elle.

— C'est vrai ! répondit Harmonie en souriant. L'apprentissage des kors a pris un peu de temps…

Mais il fallait bien qu'on la fasse, cette fête! On s'est quand même donné du mal!

— Oh, ça oui! assura Miette.

— Tu sais quoi? J'ai une surprise pour toi!

— Ah oui?! C'est quoi, dis? C'est quoi?!

— Suis-moi!

Harmonie saisit la main de sa petite sœur et toutes les deux traversèrent la cour à toute vitesse, longeant plusieurs stands animés par des parents ou des élèves, croisant les participants au tournoi de Ricoche-billes et leurs copains qui jouaient un peu partout. Tibor et Artémissia observèrent la scène du coin de l'œil, étant dans la confidence.

Les deux petites sorcières arrivèrent face au dernier stand de l'allée, dissimulé par un grand voile. Harmonie s'en approcha, s'accroupit pour saisir un morceau du voile, puis se releva en adressant un large sourire à Miette.

— Voici un stand que je vais animer ce soir, Mimi. Mais je ne vais pas le faire toute seule. Tu es prête?

— Oui! Oui! Oui! lança Miette en trépignant d'impatience.

— TADAAAAA! s'exclama Harmonie en tirant un grand coup pour faire tomber le grand pan de tissu et dévoiler ainsi le stand.

— WOUAAAAAAH ! cria Miette de surprise et de joie.

Devant elle se dressait une arcade en bois sur laquelle étaient fixés deux portraits dessinés, la représentant elle et sa grande sœur. Entre les deux visages, des lettres peintes informaient de la nature du stand, fait d'une table et de deux chaises, avec de nombreux dossiers dans le fond.

— Miette et Harmonie, enquêtes et filatures ! déchiffra Miette avec délice. Ça veut dire qu'on va résoudre des tas d'énigmes ensemble ?

— Exactement ! Cette fois, c'est officiel !

— Youpi ! C'est moi que je suis la chef !

— Ha ! Ha ! Si tu veux, sourit Harmonie. Mais d'abord, il faut enfiler des costumes de circonstance ! Ilététunefoi ! Deux intrépides détectives !

Les volutes de magie englobèrent les deux petites sorcières et de grands imperméables lumineux et colorés les enveloppèrent. Une loupe géante apparut dans la main de Miette et une casquette à double visière se vissa sur sa tête.

Désormais, elles étaient prêtes pour résoudre de nouveaux mystères !

— Détectives? s'amusa Tibor en regardant le stand de ses filles de loin, vers lequel de nombreux enfants commençaient à affluer.

— Ça change d'exploratrices, dit Artémissia en souriant.

— Au moins, elle n'iront pas trop loin dans la forêt pour mener des enquêtes et ne risqueront plus de provoquer des catastrophes!

— Oh ça, rien n'est moins sûr...

Tous les deux firent volte-face et rejoignirent la fête.

ÉPILOGUE

CLAIR suprême! hurlèrent Galatée et Alcide en jetant un petit sortilège sur leur dernière lumi-bille.

— Tic! Tic! Tac!

La lumi-bille fit une série de passes, brisa les défenses de l'équipe adverse et s'envola en direction de la dernière base. Tous les enfants réunis autour de la partie manquèrent un battement de cœur quand la lumi-bille faillit sortir de la zone de jeu, mais heureusement l'effet qu'avait mis Alcide la fit tourner en direction du centre de la cible. Quand elle fut franchie, la base s'illumina et disparut en fumée, sous les vivats des enfants.

— Et les vainqueurs sont : Galatée et Alcide! annonça le papa qui faisait office de jury.

— OUAIIIIIIS! BRAVOOOOO! hurlait la foule d'enfants en délire.

— Vous avez réalisé un sans-faute. C'est donc avec fierté que je vous remets le prix que vous attendez tous : la lumi-bille d'or!

Cachée dans un bel écrin serti de soie rouge, la lumi-bille d'or fut dévoilée puis remise aux gagnants. Galatée l'accueillit dans le creux de sa main avec humilité, mais la fierté finit par l'emporter et elle brandit l'objet scintillant de mille feux au-dessus d'elle, pour que chacun puisse l'admirer avec envie.

À ce moment-là, une pie se posa sur la main de la jeune fille, saisit la lumi-bille d'or dans son bec et s'envola aussitôt, disparaissant dans la pénombre.

— Hey! Maudit oiseau! Cette lumi-bille est à nous! Reviens! hurla Alcide.

Pluton releva la tête aux cris d'Alcide et de Galatée et eut juste le temps d'apercevoir son volatile quitter la cour de récréation.

— Bianca! Reviens! Bianca!

— Notre lumi-bille!

Miette et Harmonie échangèrent un regard complice en voyant passer leurs camarades qui couraient après l'oiseau.

— Qu'en dites-vous, inspecteur? demanda Harmonie.

— L'enquête est rouverte! annonça Miette!

L'été se conclut sans nouvel incident. Quant aux deux jeunes détectives, elles démêleraient plus tard un nouveau mystère, au cœur d'un marché incroyable. Elles durent mettre tout leur talent à contribution pour contrecarrer les mille dangers qui les attendaient.

Mais ceci est une autre histoire…

FIN

Joris Chamblain

1. Le mystère du jeteur de sorts

Joris Chamblain — Lucile Thibaudier

2. Le mystère des mangeurs d'histoires

BD
Disponible
dès à présent